Giovanni Battaglia

LEGGIAMO
E
CONVERSIAMO

letture italiane
per stranieri
con esercizi per
la conversazione

8ª Edizione

Bonacci editore

Illustrazioni di Silvia Bruno Alemagna

© by BONACCI Editore, Roma - 1974
ISBN 88-7573-070-9

Bonacci editore
Via Paolo Mercuri, 23 - 00193 Roma
(ITALIA)
Tel. 06/6865995 - Telefax 06/6540382

PREMESSA

Nei corsi di lingua italiana per stranieri si sente spesso la mancanza di un testo che, accanto alla grammatica, offra la possibilità di arricchire il corredo dei vocaboli e presenti una fraseologia elementare che permetta di esprimersi con una certa proprietà di linguaggio su vari argomenti.

I libri di « letture » generalmente raccolgono brani di autori italiani, i quali hanno scritto con ben altre preoccupazioni che quella di venire incontro a chi, per la prima volta, si accosta alla nostra lingua. Si tratta di antologie, spesso compilate con ottime scelte, che quasi mai soddisfano le esigenze di chi cerca esposizioni semplici di argomenti comuni, racconti brevi, bozzetti di piacevole lettura. Spesso sono necessarie delle note esplicative per chiarire un linguaggio difficile e qualche volta, sia il testo che le note, si rivelano scarsamente rispondenti allo scopo che dovrebbero raggiungere.

Perché sia veramente utile per gli allievi stranieri, un libro di « letture », oltre che suscitare vivo interesse, deve costituire uno strumento di lavoro e deve mettere in condizione di impadronirsi della nuova lingua per sostenere delle semplici conversazioni su una grande varietà di argomenti. Quindi brevità, semplicità, forma piana, spunti per osservazioni elementari e nello stesso tempo ricchi di un contenuto che possa determinare anche considerazioni complesse, secondo la sensibilità e la preparazione di chi legge.

Insomma un libro difficile da compilare, in cui la difficoltà maggiore consiste proprio nel riuscire a renderlo facile.

Tutte queste preoccupazioni mi hanno costantemente guidato nel preparare il nuovo testo.

È lungi da me l'illusione di avere scoperto il sussidiario perfetto, anche perché so, per esperienza diretta, che il libro ideale per l'insegnamento di qualsiasi materia resta ancora e sempre da scrivere. Posso soltanto assicurare che ogni pagina è stata scritta avendo sempre davanti un immaginario interlocutore, il quale deve superare notevoli difficoltà per apprendere la nuova lingua.

Il testo è diviso in due parti:

1) *La prima parte comprende brevi brani, spesso semplici spunti, con vocaboli e frasi elementari « da ricordare », per mettere l'allievo in condizione di esprimersi con mezzi propri su vari argomenti. Lo stesso allievo scriverà, nello spazio segnato da puntini, la traduzione dei vocaboli nella propria lingua, servendosi della « fraseologia elementare » per avviare delle facili conversazioni.*

   A questo scopo potranno essere utilizzate anche le illustrazioni del testo.

   Sono proposti alcuni esercizi grammaticali per « richiamare » gli argomenti che presentano maggiori difficoltà.

   Sia i brani che le nomenclature e gli esercizi dovranno essere ampiamente sfruttati dall'insegnante, il quale dovrà considerare il testo come semplice guida e come suggerimento per sviluppare un più completo discorso sui singoli argomenti.

   Alla fine di questa prima parte sono riportate alcune « locuzioni avverbiali » e le « frasi idiomatiche » italiane più comuni.

2) *La seconda parte comprende tre gruppi di facili letture:*

   a) Vita di famiglia – *In otto « momenti » viene descritta rapidamente l'intera giornata di una comune famiglia.*

   Le dieci domande poste alla fine di ogni brano potranno essere articolate nelle forme più varie e facilmente avvieranno al « dialogo » su argomenti che si prestano a semplici considerazioni sulla vita di tutti i giorni.

   b) Piccola città – *Sono presentati figure ed ambienti, che possono suscitare osservazioni ed offrire agli allievi degli spunti per descrivere figure ed ambienti del mondo che li circonda.*

c) Che vita! – *Sono raccolti alcuni bozzetti su temi vari per arricchire la fraseologia su argomenti poco comuni.*

Su tutti i brani si potranno proporre delle esercitazioni orali e scritte e, disponendo di sussidi audiovisivi, si potrà sfruttare ogni singola lettura anche con la semplice proiezione di una diapositiva, che abbia qualche riferimento con l'argomento in essa trattato.

Il testo, elementare e vario, potrà dilatarsi nelle mani dell'insegnante, se questi lo accoglierà e penetrerà nelle più intime pieghe delle sue pagine con lo stesso spirito, direi con la stessa umiltà, con cui io l'ho scritto.

G. B.

AVVERTENZA

Per una corretta lettura, tenendo presente che nella maggior parte delle parole italiane l'accento tonico cade sulla penultima sillaba, si mette un puntino sotto la vocale tonica delle parole sdrucciole e bisdrucciole ed anche delle parole nelle quali il raggruppamento delle vocali può far nascere dei dubbi sulla corretta pronuncia. Esempi: matita – felicità – anima – fabbricano – eroe – orologio – sarai.

1   che giorno è oggi?

Oggi è giovedí, un giorno come tutti gli altri, un giorno comune. La nostra vita è fatta di questi giorni, che passano con lenta monotonia, uno dopo l'altro, quasi tutti uguali. Forse distinguiamo soltanto la domenica, perché è un giorno di riposo.

Ma qual è il giorno piú bello della settimana? Ho interrogato almeno venti persone e quasi tutte escludono i giorni dal lunedí al venerdí; sono anche incerte sulla scelta tra il sabato e la domenica.

Molti preferiscono il sabato, perché precede, dopo una settimana di lavoro, una giornata di vacanza completa; invece la domenica è la vigilia del lunedí e si pensa troppo alla settimana successiva!

Forse è vero: l'uomo preferisce, piú che la festa, l'attesa della festa; la speranza rende la vita piú serena e piú piacevole, dà la sensazione di poter realizzare qualche cosa. L'attesa e la speranza sollecitano la fantasia, fanno evadere dalla realtà e fanno dimenticare le amarezze della vita.

Ma queste sono considerazioni filosofiche! Forse la verità è un'altra: la domenica non si può uscire di casa, non si può fare piú una bella passeggiata, non si può andare in gita, perché le strade sono piene di macchine fino all'inverosimile! È terribile!

Anche i medici sconsigliano alle persone nervose e agli ammalati di fegato di fare delle gite nei giorni festivi: il ritorno in città, il pomeriggio della domenica, mette a dura prova i nervi di tutti e rovina il fegato anche delle persone sane!

Da ricordare:

il giorno	il crepuscolo .... *TWILIGHT* ~~DATEA~~	dopodomani ....
la settimana	il tramonto	presto ....
il mese	la sera	tardi ....
l'anno	la notte	il caldo ....
la stagione	mezzogiorno	il freddo ....
il secolo	mezzanotte	il sole ....
il calendario *CALENDAR* ...	oggi	la luna ....
l'alba	ieri	la pioggia ....
il mattino	~~avantieri~~	la neve ....
il pomeriggio	domani	il vento ....

Fraseologia elementare:

I giorni della settimana sono sette: lunedí, martedí, mercoledí, giovedí, venerdí, sabato e domenica – I mesi dell'anno sono dodici: gennaio, febbraio, marzo, aprile, maggio, giugno, luglio, agosto, settembre, ottobre, novembre, dicembre – Le stagioni dell'anno sono quattro: la primavera, l'estate, l'autunno, l'inverno – Fa freddo – Fa caldo – Alzarsi presto la mattina – Andare a letto tardi la sera – Uscire di notte – Notte da lupi – Chiaro di luna – Passare la notte insonne – Piove a dirotto (a catinelle) – Lavorare dalla mattina alla sera – Fare una passeggiata – Andare a passeggio – Passare il pomeriggio in casa – Il sorgere del sole – Giorno festivo – Giorno feriale + Lavoro settimanale (mensile, annuale).

Rispondere alle domande:

1) Oggi, che giorno è della settimana? 2) Se oggi è mercoledí, ieri che giorno era? E avantieri? Domani che giorno sarà? 3) In quali giorni della settimana hai la lezione di italiano? 4) Preferisci andare a scuola

10

la mattina, il pomeriggio o la sera? 5) Quanti anni hai? 6) Ricordi che cosa hai fatto la settimana scorsa (passata)? 7) Hai dei programmi per la settimana prossima (ventura)? 8) Qual è la stagione dell'anno piú bella? 9) Hai visto mai il sorgere del sole? 10) Vai a letto presto o tardi, la sera? 11) In quale secolo siamo? 12) Fra quanti anni terminerà questo secolo? 13) Da quanto tempo studi la lingua italiana? 14) Quale giorno della settimana preferisci? E perché? 15) Che cosa fai durante la giornata, quando non lavori?

> *Trenta giorni ha novembre*
> *con aprile, giugno e settembre;*
> *di ventotto ce n'è uno,*
> *tutti gli altri ne han trentuno.*

Non è difficile indovinare l'età !

Un signore spiritoso pone ad un gruppo di amici il seguente quesito: « Io sono alto un metro e settantacinque, percorro a piedi ogni giorno cinque chilometri, non ho ancora un capello bianco, d'estate vado in montagna ed indosso sempre un vestito grigio: quanti anni ho? ».

« Quarant'anni! » risponde prontamente un amico.

« Bravo! — dice sorpreso il signore — ma come hai fatto ad indovinare? ».

« È molto semplice! Io ho un cugino mezzo scemo che ha vent'anni... ».

Esercizio 1 – *Rispondere con la forma negativa* – (Esempio: «Tu sei stanco?» – «No, io non sono stanco»).

1) Tu sei stanco? – 2) Lavori molto a casa? – 3) Il lunedí è il giorno piú bello della settimana? – 4) Vai ogni giorno a passeggio? – 5) Febbraio è un mese come tutti gli altri? – 6) Tu studi la domenica? – 7) Quando piove, esci senza parapioggia? – 8) Rimandi a domani ciò che puoi fare oggi? – 9) Vai sempre in gita la domenica? – 10) Sopporti bene il freddo?

11

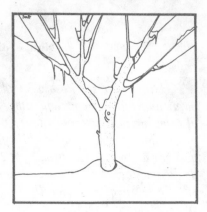

Esercitazione orale e scritta:

a) Descrivi come hai trascorso la settimana passata.

b) Qual è, secondo te, la stagione migliore?

c) Discussioni e nervosismo in occasione di una gita in macchina.

PROVERBI

— *Dal mattino si vede il buon giorno.*

— *Chi ben comincia, è alla metà dell'opera.*

— *Una rondine non fa primavera.*

2   che ore sono?

Come fa un orologiaio a sapere esattamente che ore sono? Ha il negozio pieno di orologi di tutte le forme: da polso, da tasca, da muro, da tavolo... e tutti fanno tic-tac, ma raramente vanno d'accordo tra loro!

La differenza tra un orologio e l'altro è di pochissimi minuti, spesso di pochi decimi di secondo, ma una differenza c'è sempre! L'orologiaio dice che ciò è normale, che ogni orologio deve essere regolato con molta cura prima di essere consegnato all'acquirente, con un controllo di ventiquattro o di quarantotto ore. Gli orologi del suo negozio sono tutti perfetti!

E che lavoro ogni mattina per caricarli tutti! Ce ne sono alcuni che hanno una carica che dura una settimana, altri che si caricano automaticamente con il movimento del braccio; ma la maggior parte, se non si caricano, si fermano senza preavviso dopo ventiquattr'ore.

Ci sono anche le sveglie, ma quelle si tengono scariche perché, se ad una determinata ora cominciano a suonare!!...

Comunque, la nostra curiosità è grande; vogliamo sapere come fa l'orologiaio ad orientarsi tra tanti orologi quando vuole sapere con la massima precisione l'ora esatta. Non ci resta che chiederlo a lui stesso, il quale molto gentilmente ci risponde: « Quando voglio conoscere l'ora esatta? È molto semplice: telefono al « servizio orario telefonico », che non sbaglia mai! Tale ora, tanti minuti primi e tanti minuti secondi... Altrimenti, come farei con tutta questa baraonda di orologi?! »

Da ricordare:

l'orologiaio	la cassa	l'orario . . . .
l'orologio	il quadrante	l'ora . . . .
il cronometro	la lancetta	il minuto . . . .
la sveglia	la cinghietta	

Fraseologia elementare:

L'orologio da polso – L'orologio da tavolo – L'orologio a pendolo – L'orologio elettrico (a pila) – L'orologio va avanti (va indietro) – Il minuto primo – Il minuto secondo – L'ora esatta – Un'ora – Mezz'ora – Un quarto d'ora – Tre quarti d'ora – Un'ora e mezzo – Che ore sono (che ora è)? – Sono le cinque in punto – Sono le dieci precise – Sono le sette e dieci – Sono le quattro e un quarto – Sono le nove e mezzo – Sono le due e tre quarti (le tre meno un quarto) – Sono le sei meno dieci (mancano dieci minuti alle sei) – Caricare l'orologio – Rimettere l'orologio – Arrivare in orario – Arrivare in ritardo – Essere puntuale.

Rispondere alle domande:

1) Che ore sono in questo momento? 2) A che ora comincia la lezione d'italiano? 3) A che ora finisce? 4) Si è mai rotto il tuo orologio? 5) A che ora ti alzi la mattina? 6) Generalmente a che ora vai a letto la sera? 7) Il tuo orologio è preciso, va avanti o va indietro? 8) Hai un orologio che segna, oltre le ore ed i minuti, anche i giorni del mese? 9) Sai consultare un orario ferroviario? 10) Sai che cos'è un cronometro? 11) È meglio arrivare in anticipo o in ritardo ad un appuntamento? 12) Dimentichi qualche volta di caricare l'orologio? 13) Gli antichi come misuravano il tempo? 14) A quale età hai avuto il primo orologio? 15) Hai una piccola sveglia da viaggio?

Un orologio impertinente!

Un ubriacone rientra a casa barcollando in piena notte e cerca di non fare rumore per non svegliare la moglie, che di solito lo rimprovera aspramente. Mentre si mette a letto, la moglie si sveglia e gli domanda: «Che ore sono?». «È quasi la una», risponde lui infastidito.

In quel momento l'orologio a pendolo della stanza accanto batte sonoramente quattro colpi! L'ubriacone, prevenendo la sgridata della moglie, si rivolge gridando all'orologio: « Brutto impertinente! Ho capito benissimo che è la una; non c'è bisogno che tu lo ripeta quattro volte! ».

ESERCIZIO 3 – *Tradurre i seguenti aggettivi con i relativi contrari e formare delle frasi* – (Esempi: «Io sono *alto*, mio fratello è *basso*»; «Questo compito è *facile*, l'altro era *difficile*»; « Il mio vestito è *chiaro*, il tuo è *scuro*», ecc.).

allegro	triste	degno	indegno ....
alto	basso	difficile	facile ....
ammalato	sano	diligente	pigro ....
avaro	prodigo	diritto	storto ....
bagnato	asciutto	divertente	noioso ....
bello	brutto	dolce	amaro ....
buono	cattivo	duro	molle ....
caldo	freddo	educato	maleducato ....
chiaro	scuro	felice	infelice ....
coraggioso	vile	gentile	sgarbato ....
cortese	scortese	giovane	vecchio ....
debole	forte	giusto	ingiusto ....
grande	piccolo	povero	ricco ....
grazioso	brutto	probabile	improbabile ....

15

grasso .... magro	profondo ...... superficiale .....
intelligente .... stupido	pulito .... sporco ....
largo .... stretto	robusto .... gracile ....
lungo .... corto	rozzo .... delicato ....
moderno ...... antico	ruvido .... liscio ....
naturale ...... innaturale	sciocco .... astuto ....
necessario .... superfluo	secco .... umido ....
nuovo .... vecchio	simpatico ..... antipatico ......
pesante .... leggero	stanco .... riposato ....
piano .... forte	utile .... inutile ....
pieno .... vuoto	vero .... falso ....

Esercizio 4 – Che ore sono? (Che ora è?):

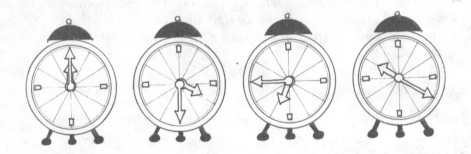

Esercitazione orale e scritta:

a) Il mio primo orologio.

b) Un appuntamento mancato perché l'orologio si è fermato!

c) Parla di qualche sistema di misurazione del tempo presso gli antichi.

PROVERBI

— *Le ore del mattino hanno l'oro in bocca.*

— *Meglio tardi che mai.*

— *Il tempo è denaro.*

3 permette che mi presenti?

Una volta, incontrandosi per la strada, gli uomini salutavano togliendosi il cappello e facendo un inchino; le donne rispondevano con un dolce sorriso e piegando lievemente la testa. Erano i tempi romantici in cui si passeggiava per le vie del centro della città e ad ogni incontro si rinnovava il saluto, l'inchino ed il dolce sorriso!

Oggi, a parte il fatto che poche persone portano il cappello, tutta la gente cammina in fretta ed anche il saluto è rapido e sbrigativo. « Buongiorno — buonasera — ciao » e corriamo come inseguiti da qualcuno che reclama il pagamento di un debito.

Quando arriva la sera, raramente restiamo a guardare le stelle prima di chiudere le finestre per andare a dormire, né diciamo « buona notte » ai vicini di casa che danno un po' d'acqua ai fiori del balcone. I tempi cambiano!

Anche nelle presentazioni c'è un nuovo stile, sintetico e dinamico: « Io sono Franco », « Io mi chiamo Anna, diamoci del tu! ». E tutto 17 questo è molto simpatico quando si tratta di giovani, di compagni di scuola; ma tra persone anziane, o tra giovani e persone di una certa età, è bene mantenere il sistema tradizionale.

Tempo fa, a casa nostra, un ragazzo amico di mio figlio, che ha quindici anni, vista la nonna, esclama: « Questa è la vecchia strega di casa tua? ». La nonna quasi sviene per la rabbia ed ancora oggi scuote il capo e dice con amarezza: « Che tempi! Che tempi! ».

Da ricordare:

il saluto	arrivederci	la maternità . . . .
buongiorno	addio	la nascita . . . .
buona sera	il nome	la presentazione . . . . . .
buona notte	il cognome	l'inchino . . . .
ciao	la paternità	grazie . . . . prego . . . .

Fraseologia elementare:

Salutare qualcuno – Stringere la mano – La stretta di mano – Fare un inchino – Togliersi il cappello – Inviare saluti – Salutare con la mano – Togliere il saluto – Saluto di commiato – Ti prego di salutarmi tuo padre – La prego di salutarmi sua madre – Congedarsi – Inviare cari (cordiali, affettuosi, distinti) saluti.

Presentare una persona – Fare una presentazione – Lettera di presentazione – Biglietto da visita – Ti presento il mio amico – Le presento mio fratello – Dare del « tu » – Dare del « lei » – Tu come ti chiami? – Lei come si chiama? – Presentare una domanda – Scrivere nella domanda nome, cognome, paternità, maternità, luogo e data di nascita e indirizzo – Essere nato il... – Essere nato a . . . .

18

Una presentazione

A – *Ti presento la signorina Maria Bianchi.*

B – *Piacere, Giovanni Rossi.*

A – *Signora, le presento il dottor Rossi. (Permette, signora, che le presenti il dottor Rossi?).*

B – *Molto lieta (felice di fare la sua conoscenza).*

Rispondere alle domande:

1) Come saluti l'insegnante? 2) Come saluti gli amici ed i compagni di scuola? 3) Quando dici « arrivederci »? 4) Qual è la differenza tra « addio » e « arrivederci »? 5) Dai un bacio ai tuoi genitori, la sera, prima di andare a dormire? 6) Salutando dopo cena, che cosa auguri? 7) Se ti presentano un giovane, che cosa dici? 8) E se sei presentato ad una persona anziana? 9) Dai del « tu » alle persone che non conosci? 10) Hai mai visto qualcuno che bacia la mano alle signore quando saluta? 11) Sai qual è la differenza tra « cari saluti », « cordiali saluti », « affettuosi saluti », « distinti saluti »? 12) Quando sei nato? 13) Dove sei nato? 14) Conosci le date di nascita di tutti i tuoi familiari? 15) Qual è la durata media della vita di un uomo?

Precisiamo!

— « Scusi, lei come si ·chiama? »

— « Bianco... »

— « C'è anche un monte che si chiama così... »

— « Sí, ma non sono io! »

ESERCIZIO 5 – *Sostituire al tempo presente l'imperfetto, al singolare e al plurale* – (Esempio: « Io saluto l'insegnante: io salutavo l'insegnante - noi salutavamo l'insegnante »).

1) Io saluto l'insegnante – 2) La signorina ripete la lezione – 3) L'allievo declama la poesia – 4) Tu scrivi sempre delle lunghe lettere agli amici – 5) Questa è una signorina molto simpatica – 6) Io presento sempre il biglietto da visita per essere ricevuto – 7) Egli saluta sempre gli amici prima di partire per un lungo viaggio – 8) Sono felice di fare nuove conoscenze – 9) Io do del « tu » soltanto alle persone che conosco – 10) Non conosco la data di nascita della signora.

ESERCIZIO 6 – *Descrivere le illustrazioni:*

Esercitazione orale e scritta:

a) Primo incontro: mi hanno presentato un giovane molto simpatico.

b) Sono triste: Carlo non mi saluta piú.

c) Descrivere i vari modi di salutarsi tra le persone.

PROVERBIO

— *Salutare è cortesia, rendere il saluto è obbligo.*

4 seguiamo la moda

A - che bella cravatta!

La scelta della cravatta è sempre un problema! Si guardano le vetrine dei negozi di abbigliamento e si resta incantati davanti a certi disegni e a certi colori, poi si entra nel negozio e comincia la ricerca. Se una va bene per il colore, non è mai quella con il disegno che noi cerchiamo. La confusione è grande quando il commesso tira fuori cinquanta o sessanta cravatte e di ciascuna dice sempre: « Guardi, che bella cravatta! ».

La scelta diventa veramente difficile se siamo in compagnia di una donna, perché i colori delle cravatte selezionate sono quasi sempre orribili ed il commento è sempre lo stesso: « Perché sei così indeciso? Per te ci vuole questo colore vivace, giovanile! ». Ed il commesso inesorabilmente aggiunge: « È una fantasia dell'ultima moda! ». Intanto gli occhi girano davanti a tutte quelle righe e a quelle palline e si resta mortificati: « Che cosa deve pensare questo commesso, che io non sono capace di scegliere una cravatta?! ».

Alla fine compriamo la cravatta che non si sa con quale vestito possiamo portare, molto simile a quella che abbiamo comprato tre mesi prima, col fermo proposito di non comprare piú cravatte almeno per quattro o cinque anni, con la rabbia di non poter trovare mai il colore che desideriamo, attribuendo tutta la colpa a quel commesso antipatico che porge il pacchetto e ripete ancora: « Che bella cravatta! ».

Da ricordare:

il vestiario	il taschino	il guanto ....
l'abbigliamento	il bottone	la biancheria ....
l'abito	la cravatta	il pigiama ....
il vestito	la cintura	la camicia ....
la giacca	la scarpa	i gemelli ....
i pantaloni (i calzoni) ..	lo stivale	le mutandine ....
....	il calzino	la maglietta ....
il cappotto	la vestaglia	la canottiera ....
l'impermeabile	la pantofola	il fazzoletto ....
il maglione	l'ombrello (il parapioggia)	la sciarpa ....
la tasca	....	il cappello ....

Fraseologia elementare (per l'uomo):

Abito da passeggio – Abito da sera – Abito da cerimonia – Pantaloni bene stirati – Indossare un abito, un cappotto, un impermeabile – Portare il cappello – Giacca ad un petto, a due petti – La divisa militare – Seguire la moda – Comprare i vestiti confezionati – Andare dal sarto – Farsi confezionare gli abiti su misura – Essere trascurato nel vestire – Essere elegante – Essere sempre in ordine – Scegliere con cura le stoffe – Vestire presso i grandi sarti – Preferire i tessuti di lana pura – Calzare una misura piccola di scarpe – Biancheria di cotone, di lino, di lana.

23

Rispondere alle domande:

1) Che cosa indossi d'inverno? 2) Quante paia di scarpe hai? 3) Approfitti delle svendite stagionali per fare i tuoi acquisti? 4) Cambi vestito durante la giornata? 5) Ti fai confezionare i vestiti su misura, o compri i vestiti confezionati? 6) Conosci bene le stoffe? 7) D'inverno porti calzini di lana? 8) Segui la moda maschile? 9) Quali indumenti indossi sotto il vestito? 10) Sei esigente nella scelta delle cravatte?

Elegante... a metà!

Sandro trova strano che il suo collega sia piuttosto dimesso nel vestire, ma porti sempre degli splendidi cappotti, degli elegantissimi impermeabili e, qualche volta, delle giacche di taglio finissimo. Invece le camicie, i pantaloni e le scarpe... Un disastro!

Un giorno gli chiede una spiegazione: « Come mai vai in giro con quelle scarpe sciupate e con quei pantaloni senza piega, mentre cambi spesso cappotto e giacca, che sembrano usciti dalla migliore sartoria della città? »

« È molto semplice: nei ristoranti gli avventori si tolgono cappotti, impermeabili e, qualche volta, anche le giacche... Ma hai visto mai togliersi i pantaloni e le scarpe? ».

Esercizio 7 – *Rispondere adoperando l'aggettivo indefinito* **qualche** *per la forma del plurale* – (Esempio: «Tu compri una cravatta?» «Io compro qualche cravatta»).

1) Tu compri una cravatta? – 2) Hai un paio di scarpe? – 3) Hai visto nel negozio una bella camicia? – 4) Hai incontrato un amico? – 5) Hai comprato un paio di calzini? – 6) Sei andato in un negozio di abbigliamento? 7) Hai acquistato un fazzoletto, una canottiera ed una maglietta? – 8) Conosci un commesso simpatico? – 9) Impieghi un'ora per scegliere la stoffa di un vestito? – 10) Hai messo nella valigia un paio di pantaloni, il maglione e la maglia di lana?

24

B - non manca nulla dentro la borsetta

Quante cose può contenere una borsetta da donna! C'è di tutto, sembra una borsa da pronto soccorso! La lista degli oggetti è lunga e varia e, se tentiamo di fare un elenco, rischiamo sempre di dimenticare qualche cosa.

Proviamo a curiosare: le chiavi di casa e quelle della macchina; lo specchietto ed il portacipria; il fazzolettino e la boccetta del profumo; il pettine e la limetta per le unghie; il rossetto ed il portamonete; l'agenda degli indirizzi ed i documenti di riconoscimento... E se cerchiamo nel fondo, troviamo anche le caramelle, le pillole contro il mal di testa ed altre cose ancora!

Del resto, è giusto; la donna non ha le tasche nel vestito come l'uomo che, tra giacca e pantaloni, ne ha una serie intera!

Oggi, però, la moda va eliminando le tasche negli abiti degli uomini, quindi anche per essi nasce il problema di portare il *borsetto* che, come dicono quelli che lo vendono, è molto pratico ed elegante!

Anche in questo si raggiunge così una completa parità tra uomo e donna!

Una volta gli uomini distratti dimenticavano a casa il fazzoletto o il portafogli; perdevano le chiavi, gli occhiali da sole...; oggi non

25

c'è piú questo pericolo! Si mette tutto dentro il *borsetto* e si sta tranquilli: chiavi, soldi, sigarette, documenti... È una grande comodità. Però, quando si perde il *borsetto*, come avviene spesso, si resta senza neanche la tessera di riconoscimento!

La donna raramente perde la sua borsetta; l'uomo deve apprendere da lei questo segreto, invece di maledire la moda che elimina le tasche dei pantaloni e, insieme con il *borsetto*, fa perdere spesso anche la testa!

Da ricordare:

il vestito	l'ombrellino	nero . . . .
la giacchetta	la borsetta	rosso . . . .
la gonna	la sciarpa	verde . . . .
la minigonna	il ventaglio	giallo . . . .
la maxigonna	il sandalo	grigio . . . .
la camicetta	l'accappatoio	blu . . . .
la vestaglia	la sottoveste	rosa . . . .
il mantello	il reggiseno	marrone . . . .
il soprabito	le calze	azzurro . . . .
la pelliccia	i colori	turchino . . . .
il cappellino	bianco	viola . . . .

Fraseologia elementare (per la donna):

Vestito da mattina, da pomeriggio – Vestito lungo (corto) da sera – Confezionare un vestito – Cucire a macchina – Lavorare a maglia – Riammagliare le calze – Assistere ad una sfilata di modelli – Avere un portamento elegante – Lavare e stirare una camicetta – Mettere in ordine nei cassetti la biancheria – Attaccare i bottoni – Cambiare abito piú volte al giorno – Andare dalla sarta per la prova del vestito – Scegliere con cura le stoffe – Preferire i tessuti leggeri – Preferire i colori vivaci – La biancheria intima – Vestito passato di moda.

Rispọndere alle domande:

1) Preferisci la minigonna o la maxigonna? 2) Qual è, secondo te, la piú bella pellịccia? 3) Una donna deve curare molto il suo abbigliamento? 4) Nel vestire, cerchi di imitare le tue amiche piú eleganti? 5) Sei capace di confezionare un vestito? 6) Sei incerta nella scelta del colore dei tuoi vestiti? 7) Quali sono i colori che ti piạcciono di piú 8) Completi il tuo abbigliamento con collane, bracciali, orecchini, anelli? 9) Hai assistito mai ad una sfilata di moda? 10) Ti piace guardare le vetrine dei negozi di abbigliamento?

Incertezza

Un vẹcchio signore si ferma a guardare meravigliato una ragazza in pantaloni. Non crede ai suoi occhi e, rivolgẹndosi al vicino, chiede: « Ma è un giovanotto, o una signorina! »

— *« È una signorina! ».*
— *« Ed è vestita da uomo! Ma come permẹttono i genitori che esca vestita in quel modo! ».*
— *« È mia fịglia, signore! ».*
— *« Oh, mi vọglia scusare: non sapevo che lei fosse suo padre! ».*
— *« Lei è un impertinente; io sono sua madre! ».*

Esercịzio 8 – *Sostituire il presente dei verbi con il futuro* – (Esẹmpio: « Io sono sempre piú esigente... » « Io sarò sempre piú esigente... »).

1) Io sono sempre piú esigente con la sarta, pretendo un lavoro ben fatto – 2) Partẹcipo alla festa, ma non ho un vestito elegante – 3) Io compro la stoffa, la tạglio servẹndomi di un modello di carta e cụcio io stessa il vestito – 4) Lavoro all'uncinetto mẹglio quando sono sola, perché non ho distrazioni – 5) Non ho tempo da pẹrdere, se la sarta mi manda il vestito in ritardo – 6) Metto a bagno la stoffa – 7) In villeggiatura cạmbio un vestito al giorno – 8) La signora prepara un maglione per il bambino – 9) Compriamo i vestiti in questo negọzio, ma attendiamo i nuovi arrivi – 10) Indossiamo la pellịccia quando c'è freddo. 27

Esercitazione orale e scritta:

(*per l'uomo*)

a) *Descrivi tutti gli oggetti che porti nelle tasche.*
b) *Descrivi una sartoria.*
c) *I tuoi vestiti.*

(*per la donna*)

a) *Descrivi i vestiti delle tue amiche che hanno partecipato con te ad un ricevimento.*
b) *Il tuo guardaroba.*
c) *Descrivi nei particolari il tuo abbigliamento.*

PROVERBIO

— *L'abito non fa il monaco.*

5 i nostri bambini ......

Non si è mai tranquilli quando ci sono bambini in casa; si ha sempre paura di tutto: se cạdono dal seggiolone, se ingọiano un bottone o una monetina, se scịvolano nella vasca da bagno o prẹndono un coltello dalla parte della lama...

I nostri vicini di casa hanno dovuto chiamare il fabbro per liberare un bambino di tre anni, che aveva infilato la testa tra le sbarre del balcone e non riusciva più a tirarla fuori!

Quante preoccupazioni, ma quante giọie! Si sta sempre con il fiato sospeso e con il cuore in gola; ma quando un bambino sorride, si benedice la vita per questa innocenza che consola e fa dimenticare tutte le pene e tutte le angụstie.

..... e questi nostri cari vecchi

Il nonno dice sempre che comprende i giovani, ma aggiunge che i tempi sono molto cambiati, che oggi tutto è caotico e travolgente, che non c'è neanche il tempo di pensare e di riflettere. Ed i prezzi?! Prima si viveva con quattro soldi, le esigenze erano limitate e ragionevoli; oggi tutti hanno l'automobile, tutti viaggiano, tutti vogliono divertirsi! Se si chiama un medico, quando è il momento di pagare la visita, se non si ha il cuore saldo, si rischia di avere un infarto!

È per questo che, quando il nonno sta male, dice sempre: « È soltanto un'influenza, bastano due compresse. Se viene il medico, scrive tante ricette e prescrive medicine che avvelenano l'organismo! ».

Anche la nonna dice che è molto comprensiva e capisce le ragazze di oggi, che certamente hanno esigenze diverse da quelle che aveva lei cinquanta o sessant'anni fa. Però si rifiuta di uscire di casa per una passeggiatina, soprattutto per non vedere quelle donne indecenti, che ormai non hanno piú nulla da nascondere ed hanno dimenticato che esiste il pudore! « La chiamano ancora gonna quel palmo di stoffa che a stento copre i fianchi! Meglio non vedere certe cose! »

Cari nonnini! Seduti in due poltrone vicine, accanto alla finestra, leggono qualche libro, parlano dei tempi passati e spesso guardano il cielo, come se dall'alto dovesse arrivare ad un certo momento qualche cosa!

Da ricordare:

il neonato	la madre	il genero ....
il bambino	il figlio	la nuora ....
il ragazzo	il nonno	il marito ....
il giovane	il nipote	la moglie ....
l'uomo	lo zio	il cognato ....
la donna	il cugino	il fratello ....
il padre	il suocero	la sorella ....
il corpo	la mano	il naso ....
il tronco	il dito	l'orecchio ....
il petto	il piede	l'occhio ....
lo stomaco	il ginocchio	la bocca ....
la spalla	il polpaccio	il labbro ....
il braccio	la testa	la lingua ....
la gamba	il capello	il dente ....
la coscia	la fronte	la gola ....
il medico	la ricetta	lo svenimento ....
il chirurgo	la medicina	il capogiro ....
lo specialista	la febbre	il raffreddore ....
l'oculista	la tosse	la farmacia ....
il dentista	l'influenza	il farmacista ....
la malattia	la polmonite	l'infermiere ....
la cura	la bronchite	l'ospedale ....

Fraseologia elementare:

Essere incinta – Dare alla luce un bambino – Allattare, allevare un bambino – Cullare un bambino – Educare un ragazzo – Portare a passeggio un bambino con la carrozzella – Giardino d'infanzia.

Sposarsi – Fare un buon matrimonio – Fare il viaggio di nozze – La luna di miele – Matrimonio d'amore – Matrimonio d'interesse – L'anello nuziale (la fede) – Inviare le partecipazioni – Distribuire i confetti, le bomboniere.

Invecchiare – Avere i capelli bianchi (brizzolati) – Stare bene di salute – Stare male – Ammalarsi – Essere ammalato – Sentirsi male (bene) – Buscarsi un raffreddore – Essere contagiato – Consultare il medico – Sottoporsi ad un intervento chirurgico – Essere convalescente (in convalescenza) – Guarire di una malattia – Avere mal di testa – Avere mal di denti – Soffrire di dolori reumatici – Essere allergico a qualche medicina – Essere ricoverato all'ospedale.

Rispondere alle domande:

1) Ci sono bambini nella tua famiglia? 2) Ti piace giocare con i bambini? 3) Hai assistito mai ad una festa di bambini? 4) Sopporti un bambino che piange? 5) Ricordi qualche episodio strano della tua infanzia? 6) Perché i bambini fanno sempre tante domande? 7) Hai molta pazienza con i bambini? 8) Quali sono, in generale, le prime parole che dice un bambino? 9) Come si fa addormentare un bambino? 10) Conosci qualche bambino prodigio?

1) Di quante persone è composta la tua famiglia? 2) Quando diventa veramente vecchio un uomo? 3) Conosci qualche vecchio simpatico? 4) Pensi che l'esperienza degli adulti sia utile per i giovani? 5) Dove vorresti trascorrere la vecchiaia? 6) I tuoi genitori sono molto severi con te? 7) Com'è la persona piú anziana che tu conosci? 8) Ritieni che possano vivere insieme i vecchi e i giovani? 9) C'è qualche vecchio che costituisce per te un esempio da imitare? 10) A quale età un uomo è nel pieno vigore delle sue facoltà intellettuali?

1) Chiamate spesso il medico a casa tua? 2) Hai avuto qualche malattia grave? 3) Se hai il mal di testa, quale medicina prendi? 4) Sei stato qualche volta dal dentista? 5) Ti sei mai ferito? 6) Ti piace la professione del medico? 7) Come curi il raffreddore e l'influenza? 8) Sai fare un'iniezione intramuscolare o endovenosa? 9) Sopporti bene le sofferenze fisiche? 10) Hai visitato mai un ospedale?

Sensibile ed impressionabile!

Su un treno in corsa ad un certo momento un signore, spaventato e pallidissimo, si affaccia ad uno scompartimento e con voce agitata chiede: « Scusate, signori, c'è qualcuno di voi che ha del cognac? Nello scompartimento accanto c'è una vecchia signora svenuta! ».

« Ecco, questo è cognac » dice uno dei viaggiatori, offrendogli premurosamente una bottiglia.

« Grazie, molte grazie! » dice il signore con un profondo sospiro di sollievo. Immediatamente apre la bottiglia e, tra lo stupore generale, beve a lungo con evidente soddisfazione. Poi, pulendosi la bocca con il dorso della mano, dice rinfrancato: « Vi sono infinitamente grato! Io sono molto sensibile ed impressionabile e non riesco a sopportare la vista di una persona svenuta ».

Esercizio 9 – *Premettere alle frasi uno dei verbi* **credo che, penso che, ritengo che, suppongo che,** tenendo presente che il verbo dipendente di modo finito va al congiuntivo – (Esempio: « Hanno chiamato il medico » – « Credo che abbiano chiamato il medico » – « Penso che abbiano chiamato »... ecc. ecc.).

1) Hanno chiamato il medico – 2) Questa notte è nato un bambino nella casa accanto – 3) Quei nipoti non rispettano il nonno – 4) Il giovane è ammalato, ma non ha la febbre – 5) Oggi arrivano i figli di mia sorella e non partono piú – 6) Quei due giovani sono fidanzati – 7) Tu non curi bene la tua ferita – 8) Il vicino di casa è stato ricoverato all'ospedale – 9) Il ragazzo ha bisogno di una cura ricostituente; cresce poco – 10) Voi siete sani e robusti, ma abusate delle vostre forze.

Esercitazione orale e scritta:

a) *Ai giardini pubblici: vecchi e bambini.*

b) *Traccia dei rapidi profili di alcuni componenti della tua famiglia.*

c) *Nella sala d'aspetto di un gabinetto dentistico.*

PROVERBI

— *Il medico pietoso fa la piaga cancrenosa.*

— *Non c'è maggior sordo di quello che non vuole sentire.*

— *Non bisogna fare il passo piú lungo della gamba.*

— *Chi va con lo zoppo impara a zoppicare.*

6 tra le pareti domęstiche

A - finalmente una casa nostra!

Dopo tanti sacrifici, finalmente abbiamo potuto acquistare un appartamento alla periferia della città, in una zona molto tranquilla.

È una bella costruzione nuova; un palazzo di dieci piani con esposizione a mezzogiorno, ingresso elegante e due ascensori. Il nostro appartamento, al terzo piano, ha cinque stanze e doppi servizi.

Tutto il rione è nuovo ed ha l'ụnico inconveniente che ancora non ci sono molti mezzi per il collegamento con il centro della città ed i lavori per la sistemazione delle strade procędono lentamente; ma siamo felici di avere finalmente la *nostra casa*.

Negli ụltimi tempi l'acquisto dell'appartamento era diventato l'ossessione della famiglia: « Prima l'appartamento, poi si penserà alla villeggiatura! »; « Per quest'anno niente vestiti nuovi! »; « Cambieremo la vęcchia mącchina quando sarà possịbile! ».

Quando ci siamo trasferiti nel nuovo allọggio, i primi giorni giravamo per le stanze con la sensazione strana di non trovare l'angolino al quale eravamo abituati nella vecchia casa e spostavamo continuamente i mobili, sistemavamo meglio le poltrone e le sedie, non eravamo mai d'accordo sulla posizione di un quadro. Ora tutto è cambiato; ci sembra quasi di essere nati in questa casa.

Se vengono gli amici, siamo tutti pronti a soddisfare la loro curiosità: « Il corridoio è spazioso; questa è la cucina con una grande finestra; le mattonelle del bagno le ha scelte papà... ».

Ma quanti sacrifici! E non abbiamo ancora finito! Pensavamo che, acquistato l'appartamento, si potesse pensare ai vestiti nuovi, alla macchina nuova, ai programmi per la villeggiatura, invece...

Mio padre ripete sempre che c'è un mutuo da pagare, che bisogna risparmiare ancora, anche se abbiamo avuto la fortuna d'acquistare ad un prezzo d'occasione! Girando per le stanze, soddisfatto, va ripetendo che tutti possiamo fare qualche piccola rinuncia... Lui ha dovuto rinunciare all'appartamento a pianterreno con il giardino, perché costava di più... Ma questa è la pena segreta che si porta dietro, tra i pavimenti lucidi e le pareti dalle fresche tinte chiare, e che forse, in famiglia, nessuno conosce!

L'importante è avere una casa propria, dopo tanti anni di attesa!

Da ricordare:

l'edificio	il pianterreno	il portone ....
il palazzo	l'attico	l'ingresso ....
il villino	il muro	la scala ....
la casa	il tetto	il gradino ....
l'appartamento	la tegola	il pianerottolo ....
il piano	il cornicione	l'ascensore ....
la stanza	il salotto	il ripostiglio ....
la parete	lo studio	il bagno ....
il pavimento	la sala da pranzo	la vasca ....
il soffitto	la camera da letto	la doccia ....
il corridoio	la cucina	il lavabo ....
il soggiorno	il camerino	il rubinetto ....
la porta	il balcone	l'imposta ....
la vetrata	la finestra	la persiana ....

35

Fraseologia elementare:

Costruire una casa (un palazzo) – Costruzione in cemento armato e muratura – Costruzione dalle fondamenta solide – Un appartamento di dieci vani, compresi ingresso, corridoio e servizi – Appartamento con riscaldamento centrale ed aria condizionata – Acquistare un appartamento in contanti (con un anticipo e con pagamento rateale) – Contrarre un mutuo presso una banca per l'acquisto di un appartamento – Abitare al centro (alla periferia) della città – Abitare al quarto piano – Essere proprietario di un pianterreno (di un primo piano) – Prendere in affitto un appartamento – Essere inquilino – Contratto di affitto – Pagare la pigione ogni mese – Locazione a tempo determinato.

Rispondere alle domande:

1) Vivi in un appartamento di affitto o di proprietà? 2) Sono alti i prezzi per l'acquisto di un appartamento nella tua città? 3) Quante stanze ci sono nella tua casa? 4) Ci sono terrazze e balconi, o soltanto finestre? 5) La strada dove abiti è rumorosa o tranquilla? 6) Preferisci abitare al centro o alla periferia della città? 7) Quanti scalini ci sono per arrivare al tuo appartamento? 8) La tua casa è esposta a mezzogiorno o a tramontana? 9) Sei capace di disegnare la pianta del tuo appartamento? 10) C'è l'ascensore nel palazzo dove abiti tu?

Case moderne!

Due fidanzati, in vista delle imminenti nozze, cercano una casa. Consultano tutti gli annunci economici del giornale e finalmente trovano un'agenzia che offre piccoli appartamenti a prezzi convenienti.

Accompagnati dall'addetto all'ufficio vendite, visitano l'appartamento e ne sono entusiasti.

Lei è felice: « Vedi — dice al fidanzato — è un po' piccolino, ma a me piace moltissimo; questi due armadi a muro sono veramente comodi ».

« Ma che armadi a muro » — interviene risentito il signore che li accompagna — « Questi sono il soggiorno e la camera da letto! ».

Esercizio 10 – *Formare delle frasi affermative e negative, usando i pronomi –* (Esempio: «Hai chiuso la finestra?» – «Sí, l'ho chiusa»; «No, non l'ho chiusa»).

1) Hai chiuso la finestra? – 2) Acquistate quell'appartamento? – 3) Ho perduto le chiavi – 4) Abbiamo fatto dipingere le pareti – 5) Avete aperto la porta? – 6) La cameriera ha pulito il pavimento? – 7) Hai pagato la pigione? – 8) Vedi quel palazzo tra gli alberi? – 9) Il proprietario ha chiesto un aumento dell'affitto? – 10) Da casa tua vedi i grattacieli del centro?

Esercizio 11 – *Descrivi le illustrazioni:*

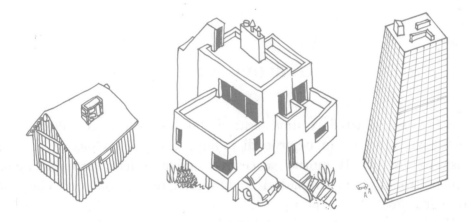

Esercitazione orale e scritta:

a) Le abitazioni dai primitivi ai nostri giorni.
b) Descrivi la casa ideale.
c) Il problema degli alloggi in una grande città.

PROVERBI

— *In casa sua ciascuno è re.*

— *Meglio essere il primo a casa propria che il secondo a casa di altri.*

B - arrediamo questa casa

È facilissimo arredare una casa: si stabilisce che cosa mettere nelle varie stanze, si va in un negozio di mobili, si sceglie, si paga e si torna a casa soddisfatti! Il giorno successivo arrivano letti, armadi, tavoli, divani poltrone, sedie, lampadari... insomma tutto; non resta che sistemare ogni cosa al suo posto.

Illusione, perché la realtà è completamente diversa!

Prima di tutto c'è il problema della spesa: si dispone di una determinata somma e, quando si visitano i negozi o si consultano i cataloghi, c'è sempre una differenza enorme tra quello che si pensa di spendere e quello che si deve pagare.

Poi bisogna mettere d'accordo tutti i componenti della famiglia sul tipo di mobili da acquistare: ci sono i sostenitori dello stile moderno e gli accaniti difensori dei mobili antichi. È una fortuna se si raggiunge un compromesso: le comodissime poltrone moderne e qualche pezzo di antiquariato!

Ma i lampadari?! Luce diffusa, lumi sui mobili o gli enormi lampadari appesi al soffitto?

Ed il televisore? Di quanti pollici? Si deve sistemare nel soggiorno o nella stanza da pranzo? Discussioni che durano giorni e settimane!

Quando, alla fine, la decisione è presa, allora comincia la ricerca.

I negozi per l'arredamento sono pieni di mobili fino all'inverosimile; quasi sempre però manca soltanto quel determinato tavolo, quel lampadario, quel mobiletto, che noi affannosamente cerchiamo!

Da ricordare:

l'arredamento	l'attaccapanni	il lenzuolo ....
il mobile	la scrivania	la coperta ....
il tavolo	l'armadio	il tappeto ....
la sedia	il letto	la tenda ....
la poltrona	il materasso	lo specchio ....
il divano	il cuscino	la credenza ....
la cucina a gas	la dispensa	il secchio ....
il fornello	il battipanni	la scopa ....
il frigorifero	l'aspirapolvere	lo straccio ....

Fraseologia elementare:

Arredare un appartamento – Rinnovare l'arredamento della casa – L'armadio a muro – Far lucidare i mobili – Fare riparare un mobile rotto – Fare riparare dal tappezziere le poltrone – Battere i tappeti – Sistemare i mobili in una stanza – Mettere in ordine una stanza – Rifare i letti – Sistemare la biancheria nei cassetti – Consultare un antiquario per l'acquisto di mobili antichi – Visitare un negozio di mobili – Comprare al « mercato delle pulci » – Mobili di stile classico.

Rispondere alle domande:

1) Hai dato qualche suggerimento per l'arredamento della tua casa? 2) Preferisci i mobili moderni o quelli antichi? 3) Quali sono i mobili della tua camera? 4) Com'è illuminata la tua casa? 5) Nella stanza da pranzo avete un mobile con sportelli e cassetti per le stoviglie? 6) Hai un armadio a muro? 7) Avete molte poltrone? 8) Sai che cos'è la credenza? 9) Quali elettrodomestici usate in casa vostra? 10) Sai che cos'è il « mercato delle pulci? ».

C'è sempre una logica

La moglie termina di telefonare all'antiquario: ...« sí, va bene, ho deciso per quel tavolo stile impero ed il tappeto persiano grande ».

Il marito, che ha ascoltato la telefonata, urla infuriato: « Ma sei pazza! Lo sai che sono alla vigilia del fallimento, che non abbiamo piú una lira! ».

« Lo so, caro » dice lei sorridente. « È l'antiquario che non lo sa! ».

ESERCIZIO 12 – *Trasformare le frasi nella forma impersonale con la particella* **si** – (Esempio: « Oggi restiamo in casa »; – « Oggi si resta in casa »).

1) Oggi restiamo in casa – 2) Questa sera andiamo al cinema – 3) Nella nostra famiglia spendiamo molto – 4) Arrediamo l'appartamento in pochi giorni – 5) Balliamo spesso nel giardino – 6) Non sempre disponiamo di molto denaro – 7) Diciamo tante cose inutili e finiamo col perdere tempo prezioso – 8) Prima di comprare i mobili consultiamo i cataloghi – 9) Siamo usciti in compagnia – 10) Parliamo molto, ma riflettiamo poco.

ESERCIZIO 13 – *Descrivi le illustrazioni:*

Esercitazione orale e scritta:

a) Descrivi in tutti i particolari l'arredamento della tua camera.

b) I mobili essenziali di una casa.

c) Funzionalità dell'arredamento (può cambiare lo stile, ma non si possono eliminare i mobili).

PROVERBIO

— *Sa più un pazzo in casa propria che un savio nella casa degli altri.*

C - pronto! chi parla?

A – Pronto! Chi parla?

B – Sono il dottor Bianchi; desidererei parlare con il direttore Rossi.

A – Io sono la segretaria; in questo momento il direttore è occupato. Lei aveva un appuntamento telefonico con il direttore?

B – Sí, signorina. È urgente...

A – Resti in linea.
Pronto! Le passo il direttore; può parlare.

B – Grazie.

non bisogna sbagliare il numero!

A – Pronto! Parlo con il veterinario?...

B – Come?!

A – È il numero 25 48 65?

B – Pronto! Qui parla la signora Rosa Morini!

A – Numero 25 48 65?

B – Lei è un maleducato! Io sono la signora Morini, non sono un numero! Le pare giusto svegliare una signora anziana alle tre di notte?!

A – Pronto! Pronto! Ma io cerco il veterinario! Sono disperato; il mio cane sta molto male!

Da ricordare:

il telefono . . . .   la telefonata . . . .   la comunicazione . . . . .

l'apparecchio . . . .   il ricevitore . . . .   la teleselezione . . . .

Fraseologia elementare:

Chiamare al telefono – Comporre il numero – Telefono pubblico – Telefono automatico – La cabina telefonica – Consultare l'elenco telefonico – Servirsi molto del telefono – Chiedere al centralino una prenotazione telefonica interurbana – Non riuscire ad avere la linea – Ricevere una comunicazione telefonica – Al telefono c'è un'interferenza - La linea del telefono è libera – Trovare il telefono sempre occupato – Dettare un telegramma per telefono – Stare attaccato tutto il giorno al telefono – Rifare molte volte il numero per avere la linea.

Rispondere alle domande:

1) Telefoni molte volte durante la giornata? 2) Funziona sempre bene il tuo telefono? 3) Ti capita qualche volta di sbagliare il numero? 4) Come si fa per telefonare da una città all'altra? 5) Sai che cos'è la « segretaria telefonica? » 6) Porti con te una piccola agenda con i numeri telefonici dei tuoi amici? 7) Chi parla di più al telefono nella tua famiglia? 8) Pagate molto ogni mese per l'uso del telefono? 9) Conosci il lavoro delle telefoniste? 10) Hai telefonato mai al servizio del « pronto soccorso »?

Quando si parla gesticolando!

Un contadino arriva in città e chiede informazioni su un avvocato, di cui ha l'indirizzo scritto in un biglietto. Si rivolge ad un signore in un bar e questi, letto il biglietto, gli dice che la strada dove abita l'avvocato è molto lontana; gli conviene telefonare per sapere se l'avvocato si trova nel suo studio.

« Telefonare? E come si fa? ».

« È molto semplice! Qui c'è il telefono... ».

« Se, per piacere, mi spiega come devo fare... ».

« Ecco! Con la mano sinistra prende il ricevitore, con la destra compone il numero... e parla! ».

Il contadino, abituato a parlare piú con i gesti che con le parole, lo guarda perplesso e poi dice:

« Allora, con la sinistra prendo il ricevitore, con la destra compongo il numero; e poi... con quale mano parlo?! ».

Esercitazione orale e scritta:

a) Parla della telefonata piú gradita che hai ricevuto recentemente.

b) Quali sono i vantaggi del telefono?

c) Descrivi i servizi telefonici piú utili.

PROVERBIO

— La migliore parola è quella che non si dice.

D - ecco la luce!

Il signor Pino (il suo nome è Giuseppe, ma in famiglia lo chiamano Pino) è ragioniere e lavora come contabile presso una Compagnia di Assicurazioni, ma è capace di sistemare un impianto elettrico meglio di un elettricista. Quella dell'elettricità è stata sempre una sua passione segreta.

Quando in casa si resta al buio, e ciò accade spesso per il solito corto circuito che fa saltare le valvole, si sente la voce stridula della signora: « Piiino! » Ed il ragioniere, come un'eco: « Ci penso io! ».

Armato di pinza, nastro isolante e filo elettrico, trova immediatamente il punto dove si è verificato il guasto ed è felice quando esclama: « Ecco fatto! ».

La luce ritorna ad illuminare tutte le stanze ed il signor Pino attende le congratulazioni della famiglia, come se avesse inventato la luce stessa; ma se guarda la moglie, la fulmina con gli occhi senza parlare. È sempre la storia del vecchio forno in cucina che non bisognerebbe adoperare, mentre la signora si ostina ad accenderlo « soltanto per qualche minuto! ».

Si tiene sempre in casa una riserva di candele da riempire una chiesa! Ci sono anche le lampadine tascabili sempre a portata di mano, ma se non ci fosse quell'abile elettricista in casa, gran parte delle serate passerebbero senza poter vedere la televisione.

È una fortuna: il signor Pino sa dove mettere le mani ed è capace di riparare un interruttore anche ad occhi chiusi!

Da ricordare:

l'impianto . . . .   la tensione . . . .   la pila . . . .

il filo . . . .   la corrente . . . .   il neon . . . .

il cavo . . . .   la scarica . . . .   il lume . . . .

la lampadina . . . .   la valvola . . . .   la pinza . . . .

l'interruttore . . . .   l'illuminazione . . . .   il cacciavite . . . .

il riflettore . . . .   l'isolatore . . . .   il nastro isolante . . . . . .

Fraseologia elementare:

Accendere (spegnere) la luce – Illuminare una stanza – L'impianto elettrico – Corrente per illuminazione – Corrente industriale – Corrente ad alta tensione – Il voltaggio di una lampadina – Lampada fulminata – Prendere la scossa – Riparare un guasto – Il contatore della luce – Motore a corrente continua (a corrente alternata) – Caricare un accumulatore – Mettere la spina nella presa – Determinare un corto circuito con il contatto dei fili.

Rispondere alle domande:

1) Manca qualche volta la luce a casa vostra? 2) Sai riparare un apparecchio elettrico? 3) Hai mai preso la scossa toccando un filo elettrico? 4) Come avviene un corto circuito? 5) Conosci l'impianto elettrico dell'automobile? 6) Hai visto mai una centrale elettrica? 7) Quali sono gli usi piú comuni dell'elettricità? 8) Hai qualche apparecchio a pila? 9) Sai che cos'è una lampada al neon? 10) Che cosa sono gli elettrodomestici?

Un lampadario completo

Un signore nuovo arricchito, che non bada a spese per l'arredamento della sua casa, va in un negozio per l'acquisto di un lussuoso lampadario. Dopo avere scelto il piú grande lampadario, chiede al negoziante come e dove lo deve appendere, disponendo di un salone rettangolare.

« Al centro, all'incrocio delle due diagonali del soffitto ».

« Allora me lo dia completo di lampade e con le due diagonali piú resistenti ed eleganti che ha nel negozio! ».

45

Esercizio 14 – *Formare delle frasi con i pronomi* **glielo, gliela** ecc.... –
(Esempio: «Hai comunicato la notizia a Gino?» – «Gliela comunicherò domani (subito)»).

1) Hai comunicato la notizia a Gino? – 2) Hai dato i soldi ai ragazzi? – 3) Chi dirà la verità a lui? – 4) Farete un bel regalo alla zia? – 5) Porterai la stoffa al sarto? – 6) Darai dei buoni consigli al giovane? – 7) Hai restituito il libro a Rosa? – 8) Hai dato in prestito diecimila lire a tuo fratello? – 9) Gli dirai quello che pensi? – 10) Hai raccontato tutto a loro?

Esercizio 15 – *Formare delle frasi con il pronome* **gliene** – (Esempio: «Quante fotografie hai fatto a Maria?» – «Gliene ho fatte sei»).

1) Quante fotografie hai fatto a Maria? – 2) Hai dato molte caramelle al bambino? – 3) Hai parlato di questo argomento allo zio? – 4) Hai scelto le cravatte per lui? – 5) Gli manderai molti libri? – 6) Racconti a tua sorella la trama del film? – 7) Gli vuoi molto bene? – 8) Quanti fiori le offrirai? – 9) Danno molta speranza al giovane? – 10) Sei molto grato all'amico per ciò che ha fatto per te?

Esercitazione orale e scritta:

a) Parla dei sistemi di illuminazione antichi e moderni.

b) Descrivi tutti i particolari dell'illuminazione della tua casa.

c) L'elettricità ed il progresso industriale.

PROVERBIO

— *Ad ogni uccello il suo nido è bello.*

7 ricordi di scuola

Io conservo ancora i quaderni della scuola elementare ed ogni volta che li sfoglio ritorno con il pensiero al periodo della mia fanciullezza. Quei quaderni a quadretti con gli esercizi sulle quattro operazioni e quei quaderni a righe con i brevi componimenti costituiscono un « momento » interessante della mia vita!

Ho anche qualche vecchio libro dalle pagine ingiallite, con le illustrazioni a colori, i raccontini commoventi e le poesie che il maestro ci spiegava e noi imparavamo a memoria.

Tra le pagine di quei libri e di quei quaderni ci sono cinque anni della mia infanzia spensierata: il maestro che qualche volta appariva burbero, ma era tanto buono; i miei primi compagni, il bidello, l'aula con le grandi finestre, l'edificio della scuola, che ora non esiste piú...

Quando passo da quella strada, con commozione penso al tempo in cui una palla, un giocattolo, un libro ed un quaderno costituivano una gran parte del mio mondo ed io ero felice. È proprio vero che la felicità è fatta di piccole cose, quasi di niente!

I libri restano ancora i miei amici più cari. A pensarci bene, il libro è forse l'oggetto che più rassomiglia all'uomo: può essere apparentemente modesto nella veste tipografica, ma avere un prezioso contenuto scientifico o filosofico; mentre può avere una copertina bellissima, delle illustrazioni a colori molto attraenti ed essere completamente vuoto nel contenuto.

Proprio come molti uomini, che ognuno di noi conosce!

Da ricordare:

la biblioteca	il testo	la penna . . . .
la libreria	l'introduzione	la gomma . . . .
lo scaffale	l'indice	l'inchiostro . . . .
la tipografia	la nota	l'aula . . . .
l'editore	l'illustrazione	il banco . . . .
l'autore	il quaderno	la cattedra . . . .
il libro	l'agenda	la lavagna . . . .
la copertina	l'esercizio	il diploma . . . .
la pagina	il dettato	la laurea . . . .
il prezzo	il componimento	il giornale . . . .
il titolo	la matita	l'impaginazione . . . .

Fraseologia elementare:

Scrivere un libro – Stampare un libro – La casa editrice – Leggere un romanzo – Leggere romanzi gialli – Sfogliare un libro – Consultare un dizionario (un'enciclopedia) – Il quaderno a righe – Il quaderno a quadretti – La brutta e la bella copia.

Le quattro operazioni: l'addizione, la sottrazione, la moltiplicazione, la divisione – Andare a scuola – Frequentare una scuola – Marinare la scuola – Iscriversi ad un corso – Sostenere gli esami – Conseguire il titolo di studio – Scrivere sotto dettato – Fare degli errori – Prendere appunti – Leggere ad alta voce – Imparare a memoria – La penna stilografica (a sfera).

Rispondere alle domande:

1) Qual è l'ultimo libro che hai letto? 2) Ami la lettura? Quali libri preferisci? 3) Ti piace imparare a memoria le poesie? 4) Prendi appunti quando l'insegnante spiega la lezione? 5) Hai letto mai un libro giallo? 6) Quando leggi un libro, ti preoccupi di sapere qualche cosa sull'autore? 7) Hai pensato qualche volta di scrivere un libro? 8) Per

scrivere adoperi la matita, la penna a sfera o la penna stilografica? 9) Sei stato sempre bravo a scuola? 10) Pensi che per un uomo sia assolutamente necessario un titolo di studio?

In libreria

Un'elegante signora si dimostra molto esigente, ma soprattutto incerta, davanti al commesso che le mostra una serie di libri per la scelta. Visto che non si decide, il commesso le chiede se ha delle particolari preferenze.

« Veramente no, — risponde la signora — vorrei un libro di piacevole lettura, divertente... qualcosa che mi faccia passare il tempo senza affaticare il cervello... ».

« Allora qualcosa di leggero! ».

« Oh, questo non ha importanza, ho la macchina davanti alla libreria! ».

ESERCIZIO 16 – *Formare delle frasi con i pronomi* – (Esempio: « Mi dai il libro? » – « Sí, te lo do » – « No, non te lo do »).

1) Mi dai il libro? – 2) L'insegnante ti ha corretto l'esercizio? – 3) Ti hanno restituita la penna? – 4) Mi ripeti la lezione? – 5) Mi manderai delle cartoline illustrate? – 6) Ti hanno detto che domani non ci sarà la lezione? – 7) Ci darai in prestito i romanzi gialli? – 8) Mi porti le riviste illustrate? – 9) Dai al tuo compagno la penna? – 10) Mi assicuri che è vero?

Esercitazione orale e scritta:

a) Descrivi l'aula in cui frequenti il corso di italiano.

b) Parla dell'utilità dello studio delle lingue straniere.

c) Ricordi di scuola.

PROVERBI

— *Le parole volano, ciò che è scritto rimane.*

— *Sbagliando s'impara.*

— *Chi presta un libro ad un amico, perde il libro e l'amico.*

49

8 buon compleanno!

Quante discussioni ogni volta che si deve festeggiare il mio compleanno! Sono nata il 29 febbraio di un anno bisestile e quindi si trova la scusa per farmi i regalini soltanto ogni quattro anni! Però gli anni passano lo stesso!

Si potrebbe compensare con una bella festa in occasione dell'onomastico, ma nella mia famiglia non c'è questa consuetudine e, oltre tutto, abbiamo dei nomi che non si trovano neanche nel calendario. Gli altri si chiamano generalmente Giuseppe, Giovanni, Mario; Rosa, Maria, Anna... Noi abbiamo invece nomi strani: Asdrubale, Arcibaldo, Sofronia! Bizzarrie di mio padre!

Intanto non passa settimana senza che ci sia una ricorrenza che importa un regalino da fare alle amiche; ora ci sono pure i battesimi ed i compleanni dei bambini! Le mie amiche si sono sposate quasi tutte molto giovani, alcune prima dei vent'anni!

Ma verrà quel giorno anche per me! Le care amiche dovranno ricambiare tutti i regali che ho fatti!

E sarà in occasione del mio matrimonio! Alla fine, dovrò sposarmi anch'io; io sono pronta, manca soltanto il fidanzato!

Bisogna avere fortuna! Io invece sono sempre sola, con un nome astruso ed una data di nascita che ricorre ogni quattro anni! Proprio sfortunata!

Da ricordare:

il compleanno	il fidanzato	il ricevimento ....
l'onomastico	il fidanzamento	lo scapolo ....
la nascita	le nozze	il celibe ....
il battesimo	lo sposo	la nubile ....
il regalo	il matrimonio	l'oroscopo ....

Fraseologia elementare:

Compiere gli anni – Festeggiare il compleanno (l'onomastico) – Fare gli auguri – Augurare buone feste – Buon compleanno – Fidanzarsi – Partecipazione di nascita (di fidanzamento, di matrimonio) – Sposarsi – Fare il viaggio di nozze – Ottenere la separazione legale (il divorzio) – Scioglimento (annullamento) del matrimonio – Fare un regalo.

Rispondere alle domande:

1) Qual è il giorno del tuo onomastico e del tuo compleanno? 2) Fate delle feste a casa vostra in queste occasioni? 3) Ricevi generalmente dei regali dagli amici? 4) Che cosa regaleresti ad una signorina, ad un giovane, ad una signora, ad un signore anziano? 5) Sai che cos'è un anno bisestile? 6) Ti ricordi sempre degli onomastici dei tuoi amici? 7) Quali nomi di persona italiani conosci? 8) Qual è il piú bel regalo che hai ricevuto? 9) Sei invitato spesso a ricevimenti di matrimonio? 10) Quali mutamenti subisce la vita di un uomo, o di una donna, dopo il matrimonio?

Il giorno del compleanno!

In un'aula di tribunale il giudice interroga l'imputato:

« Per quale motivo proprio nel giorno del suo compleanno lei ha preso a pugni il suo amico Bianchi, fratturandogli la mandibola e mandandolo all'ospedale? ».

«Vede, signor giudice, quel giorno avevo ricevuto la notizia che una cambiale era stata protestata; avevo saputo dal padrone di casa che dovevo lasciare l'appartamento entro dieci giorni perché da tre mesi non pagavamo l'affitto; i figli strillavano perché volevano mangiare subito la torta; avevo litigato furiosamente con mia moglie e mia suocera aveva appena telefonato che sarebbe venuta a farmi gli auguri... quand'ecco che suona il campanello, vado ad aprire e mi trovo davanti l'amico Bianchi che mi dice: « tanti auguri, cento di questi giorni!... ».

ESERCIZIO 17 – *Formare delle frasi con il verbo al futuro* – (Esempio: «Oggi vado al cinema» – «Oggi andrò al cinema»).

1) Oggi vado a cinema – 2) Ti do quasi tutti i miei risparmi; tengo per me soltanto gli spiccioli – 3) Non possiamo uscire, dobbiamo lavorare – 4) Ti faccio il regalo che vuoi – 5) Vediamo che cosa succede – 6) Chi vive in pace con la coscienza, muore sereno – 7) Non voglio sbagliare, devo avere pazienza – 8) Beviamo alla tua salute – 9) Viene anche il fidanzato; vale la pena attendere – 10) Non so mai dove vado a finire.

INDOVINELLO

Qual è quell'animale che quando è piccolo cammina con quattro gambe, poi con due e, quando è vecchio, con tre?

(L'uomo)

I segni dello zodiaco

Ariete
21 marzo-20 aprile

Toro
21 aprile-20 maggio

Gemelli
21 maggio-21 giugno

Cancro
22 giugno-22 luglio

Leone
23 luglio-23 agosto

Vergine
24 agosto-22 settembre

Bilancia
23 settembre-22 ottobre

Scorpione
23 ottobre-22 novembre

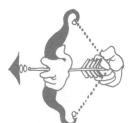

Sagittario
23 novembre-21 dicembre

Capricorno
22 dicembre-20 gennaio

Acquario
21 gennaio-19 febbraio

Pesci
20 febbraio-20 marzo

L'oroscopo

La signora Lucia vede il marito stranamente pensieroso.

« Son quasi le nove! Se non fai presto, arriverai tardi all'ufficio ».

« Oggi non vado all'ufficio. È giornata di chiusura di bilancio... Hai letto il mio oroscopo?... « Incidenti sul lavoro... Dovete essere cauto e prudente... Sfavorevole il giorno 12 » — Proprio oggi! Cauto e prudente!... Io non mi muovo per niente! ».

« E tu credi a queste stupidaggini che scrivono nei giornali? ».

« Io non ci credo, ma all'ufficio non ci vado! Lo scorso anno tu non hai aspettato il « giorno favorevole » del tuo oroscopo per dirmi che volevi la pelliccia? ».

« Ma noi donne crediamo a tutto! Non è lo stesso... ».

« Telefona al direttore per dirgli che sono a letto con la febbre a quaranta... ».

« La solita febbre! Trovi tutte le scuse per non andare all'ufficio! ».

Esercitazione orale e scritta:

a) Descrivi una cerimonia nuziale.

b) In casa di amici per festeggiare un compleanno.

c) Considerazioni sulla vita matrimoniale.

PROVERBI

— Fare le nozze con i fichi secchi.

— Le bugie hanno le gambe corte.

9

A – Scusi, ha un fiammifero? Questo accendisigari non funziona; forse
    è finito il gas, o si è consumata la pietrina...

B – Io non fumo. Fino a poco tempo fa fumavo cinquanta sigarette al
    giorno! Ma ora...

A – Come ha fatto a smettere? Anch'io dovrei smettere di fumare! Me
    lo dice sempre il medico, ma è difficile!...

B – Difficile?! Ma è facilissimo! Basta un poco di buona volontà; io
    ho smesso piú di dieci volte!

A – Per me è difficile! Fumo anche il mozzicone della sigaretta fino
    a bruciarmi le dita! Soltanto quando c'è mia moglie vicina mi
    limito un poco, perché quella è una donna insopportabile!
    Ho provato a fumare il sigaro, poi la pipa, che fanno meno male,
    ma mia moglie non permette che io fumi il sigaro o la pipa in casa!
    Dice che quell'odore di tabacco fa venire la vertigine... Quindi
    non mi resta che avvelenarmi con queste sigarette!

B – Ha provato a succhiare qualche caramella?

A – Ho provato tutto! Sacchetti interi di caramelle e... sempre quaranta sigarette al giorno! Pazienza! Se non avessi questa soddisfazione, che cosa mi resterebbe nella vita? A casa c'è mia moglie; all'ufficio il direttore!... L'unica consolazione: una sigaretta!

B – Lei ha ragione; una boccata di fumo solleva lo spirito! Io riprenderò a fumare appena avrò superato questa intossicazione di nicotina... Una sigaretta fa dimenticare... Ed io, come lei, ho bisogno di dimenticare tante cose!

Da ricordare:

la sigaretta	il portasigarette	il filtro . . . .
il sigaro	il bocchino	la cenere . . . .
la pipa	il pacchetto	il mozzicone . . . .
il fiammifero	il tabacco	il fumo . . . .
l'accendisigari	la nicotina	il tabaccaio . . . .

Fraseologia elementare:

Un pacchetto di sigarette – La scatola dei fiammiferi – Accendere una sigaretta – Offrire una sigaretta – Caricare l'accendisigari – Cambiare la pietrina – Fumare la pipa (il sigaro) – Caricare la pipa – Aspirare il fumo – Fumare poche boccate – Intossicarsi con il fumo – Disintossicarsi – Essere un fumatore accanito – Non sopportare l'odore del tabacco – Fumare una sigaretta fino al mozzicone – Tosse da fumo – Fumare tabacco nero (biondo) – Fumare sigarette con filtro – Fumare con il bocchino – Avere il vizio del fumo – Smettere di fumare – Sala riservata ai fumatori – Negozio per fumatori.

Rispondere alle domande:

1) Ti piace fumare? 2) Quante sigarette fumi al giorno? 3) Ritieni che il fumo faccia male? 4) Quali malattie può provocare il fumo? 5) Hai fumato mai la pipa? 6) Quanto costa fumare un pacchetto di sigarette al giorno? 7) Offri spesso sigarette agli amici? 8) Che cosa hai provato fumando la prima sigaretta? 9) Pensi che sia bene che i ragazzi fumino? 10) Chi fuma a casa tua?

Effetti del fumo!

Si discute tra amici sui danni provocati dal fumo. Ad un certo punto un signore dice: « L'abuso del fumo può anche cambiare completamente il tono della voce ».

Qualcuno si dimostra incredulo; allora il signore, che è molto sicuro di quello che dice, aggiunge: « Dovreste venire a casa mia e vi convincereste subito, udendo la voce che assume mia moglie quando distrattamente lascio cadere un poco di cenere sul pavimento! ».

Esercizio 18 – *Formare delle frasi con i pronomi* – (Esempio: « Mi offri una sigaretta? » – « Sí, te la offro »)

1) Mi offri una sigaretta? – 2) Mi dai i fiammiferi? – 3) Ci mandate una scatola di sigari? – 4) Mi indicate la marca di quelle sigarette? – 5) Gli regalerete un accendisigari d'oro? – 6) Mi carichi la pipa? – 7) Mi presti la scatola? – 8) Mi dici tutto? – 9) Mi ricordi quella frase? – 10) Mi date la borsa del tabacco?

Esercizio 19 – *Ripetere l'esercizio 18, sostituendo ai sostantivi le forme pronominali* – (Esempi: « Mi offri una sigaretta? » – « Offrimela » – « Mi dai dei fiammiferi? » – « Dammeli » – « Ci mandate una scatola di sigari? » – « Mandatecela » ecc...).

Esercitazione orale e scritta:

a) Descrivi le sensazioni che si provano fumando.
b) Un incendio causato da un mozzicone di sigaretta.
c) I danni che procura il fumo all'organismo umano.

PROVERBI

— *Tutto il male non viene per nuocere.*
— *La lingua batte dove il dente duole.*
— *Uomo avvisato, è mezzo salvato.*

A - che sogno: un bel giardino!

Il signor Franco sognava da tempo una bella casa nuova, ma ora che abita in un elegante appartamento nella zona residenziale della città, non sembra eccessivamente soddisfatto. In questo palazzo signorile non ci sono né balconi né terrazze; soltanto finestre. È un vero tormento per il signor Franco non poter coltivare in casa piante e fiori!

Nella vecchia casa aveva un bel giardino, dove passava tutto il suo tempo libero: non mancavano mai in tutte le stanze rose e garofani e le aiuole erano piene di ortensie e gerani, che suscitavano ammirazione ed invidia in tutto il vicinato.

Ora gira per le stanze come un estraneo e si consola curando tre o quattro piante ornamentali nell'ingresso e nel salone del soggiorno. Soltanto sul davanzale della finestra della cucina ha potuto sistemare dei vasi di prezzemolo e di basilico, ma è poco per un uomo che ripete sempre: « I fiori sono come i bambini, sono la gioia della casa! Io in questo appartamento non ci resisto; questa non è una casa, è una prigione!».

Non gli resta che comprare riviste in cui si parla di giardini, di fiori e di bulbi, di epoca di trapianti e di concimazione... Ritaglia le piú belle pagine a colori e riveste le pareti della sua camera, ma è come vivere di ricordi con le fotografie delle persone care, ferme in un atteggiamento che non cambia mai, con un sorriso che è sempre lo stesso... Che malinconia!

Da ricordare:

l'aiuola	la margherita	il geranio ....
l'erba	il giglio	l'ortensia ....
la pianta	il tulipano	la dalia ....
il fiore	la violetta	l'orchidea ....
il petalo	la viola	il ciclamino ....
lo stelo	il gladiolo	la ginestra ....
la rosa	il papavero	la petunia ....
il garofano	l'anemone	il bulbo ....

Fraseologia elementare:

Giardino fiorito – Raccogliere i fiori – Innaffiare i fiori – Coltivare i fiori nella serra – Trapiantare le piante dei fiori nei vasi – Fiore ancora in boccio – Un'aiuola piena di boccioli di rose – Fiore dal gambo lungo – Fiore reciso – Fiore appassito – Fiori di campo – Il calore fa sbocciare i fiori – Offrire un mazzo di fiori – Omaggio floreale – Decorazione floreale – Sfiorire.

Rispondere alle domande:

1) Ti piace coltivare i fiori? 2) Quali sono i fiori che ti piacciono di piú 3) Preferisci i fiori di serra o i fiori di campo? 4) Quali sono i fiori piú comuni nella tua città? 5) Ti piacciono i fiori artificiali? 6) Conosci qualche pianta di rampicante? 7) Ricevi spesso in regalo i fiori? 8) Che cosa fai per mantenere a lungo freschi i fiori? 9) Ti piacciono i fiori dal profumo intenso? 10) In quali occasioni offri dei fiori alle signore o alle ragazze?

La sorpresa

«*Che cosa hai regalato a tua moglie per il suo compleanno?*».

«*Un bel mazzo di garofani rossi...*».

«*Ma come? Soltanto i fiori?*».

«*Certo! Le ho voluto fare una bella sorpresa: lei si aspettava una pelliccia di leopardo!*».

Esercitazione orale e scritta:

a) Descrivi il negozio di un fioraio.

b) Descrivi un campo fiorito.

c) Descrivi dei quadri di natura morta con fiori.

PROVERBIO

— *Non c'è rosa senza spine.*

B - in campagna

È sempre una festa per noi quando, d'estate, i nostri amici ci invitano nella loro campagna. Abituati a vivere in città, dove sono rari i viali alberati e qualche pianta si può vedere soltanto nei giardini pubblici, ci pare di varcare la soglia di un altro mondo.

In mezzo al verde si respira un'aria ossigenata che fa rinascere. E che varietà di colori! Dal verde intenso degli alberi secolari, in una serie di gradazioni, si arriva fino al giallo delle foglie di certe piante che crescono ai bordi del campo, o al verde tenero delle piantine dell'orto.

Come sarebbe interessante conoscere i nomi di tutte le piante e di tutte le erbe che crescono in una campagna! Noi distinguiamo soltanto la vite dall'arancio, l'arancio dal pino! Ma chi vive in campagna non ha bisogno di vedere il frutto per dire che questo è un melo, quello un pesco e quell'altro un albicocco...

Il contadino, senza accorgersene, ci fa una bella lezione di botanica quando ci spiega la differenza tra gli alberi degli agrumi: « Vedete? Questo è un mandarino; è piuttosto basso, il fogliame è fitto e le foglie sono piccoline e lanceolate; invece l'arancio è piú alto, ha le foglie larghe e leggermente piú scure di quelle del limone ».

Immaginiamo di avere capito tutto, ma quando, indicando un albero, diciamo: « Quello è un limone », il contadino ride e precisa: « No, quello è un pero! ».

Nell'orto, invece, è più facile orientarsi, perché i pomodori, anche se sono verdi perché ancora non maturi, li abbiamo sotto gli occhi! I fagiolini, i cetrioli, i piselli... li ritroviamo come li abbiamo sempre visti in città.

Però, anche nell'orto, non mancano le sorprese! « Questa pianta non produce nulla? » – « Questa è una pianta di patate; le patate sono sotto terra, nelle radici! », ci spiega il contadino. Infatti, smuovendo la terra sotto la pianta, spuntano a grappoli le patatine piccole e bianche, non ancora mature! Che mistero!

Ritornando in città, davanti alla frutta e alla verdura di un frutti-vendolo, ci pare di rivedere delle vecchie conoscenze ed istintivamente, guardando cipolle e patate, mormoriamo: « Sappiamo tutto, crescete sottoterra per ingannare quelli che vivono in città! »...

Da ricordare:

la foresta	il melo	il castagno ....
il bosco	il pero	l'arancio ....
l'albero	il pesco	il limone ....
il tronco	il mandorlo	il mandarino ....
il ramo	il noce	il fico ....
la foglia	l'albicocco	l'ulivo ....
la radice	il ciliegio	la vite ....
l'ortaggio	la fava	il pomodoro ....
il legume	la lenticchia	il peperone ....
la verdura	la patata	la melanzana ....
il fagiolo	la carota	il cavolfiore ....
il pisello	il finocchio	gli spinaci ....
il frutto	il limone	l'uva ....
la frutta	il mandarino	la banana ....
la mela	l'oliva	la ciliegia ....
la pera	il fico	la castagna ....
la pesca	la mandorla	la noce ....

il plạtano	il fạggio	la quẹrcia ....
il cipresso	il pioppo	l'abete ....
il pino	la palma	l'oleandro ....

Fraseologịa elementare:

Ạlbero da frutto – Ạlbero di alto fusto – Bosco cẹduo – Boscạglia incolta – Legna da ạrdere – Abbạttere un ạlbero – Coltivare la terra – Preparare il terreno per la sẹmina – Arare la terra – Seminare il grano – Miẹtere e trebbiare il grano – Potare gli ạlberi – Raccọgliere la frutta – Vendemmiare – I filari della vigna – Bacchiare le noci (le mạndorle) – Coltivare gli ortaggi – Irrigare l'orto – Recịngere un campo con una siepe.

Rispọndere alle domande:

1) Hai visitato mai un frutteto? 2) Mangi molta frutta? 3) Qual è la vegetazione caratterịstica del tuo paese? 4) Sei stato qualche volta in campagna durante la vendẹmmia? 5) È fạcile pẹrdere l'orientamento in un bosco fitto? 6) Ci sono strade alberate nella tua città? 7) Hai raccolto qualche volta la frutta dall'ạlbero? 8) Ti piạcciono i succhi di frutta? 9) In un giardino preferiresti ạlberi da frutto o ạlberi ornamentali? 10) Quanti nomi di ạlberi e di frutti riesci ad enumerare?

Vano tentativo

In un paesino di campagna, davanti alla chiesa, c'è un ạlbero di pere cạrico di frutti maturi che ogni giorno diminuịscono. Il pạrroco, nel tentativo di salvare le ụltime pere, appende all'ạlbero un grande cartello con la scritta: « Dio ti vede ».

Il giorno dopo dall'ạlbero mạncano ancora delle pere e sul cartello è stata aggiunta la scritta: « Dio è buono e sa perdonare! ».

ESERCIZIO 20 – *Formare delle frasi con il congiuntivo ed il condizionale* – (Esempio: « È una bella giornata, vado in campagna » – « Se fosse una bella giornata, andrei in campagna »).

1) È una bella giornata, vado in campagna – 2) Ho la possibilità di farlo, ogni giorno compro tanti fiori – 3) Ho seguito un corso di botanica, so coltivare i fiori – 4) Sono libero, vengo con te – 5) Ho una pianta di petunia, la tengo nella terrazza – 6) È una pianta rara, vale molto – 7) Sono occupato, non posso riceverti – 8) È una pianta delicata, deve essere tenuta al coperto – 9) Mangia molta frutta, ti fa bene – 10) Non siamo stanchi, possiamo andare nel bosco a cercare ciclamini.

Esercitazione orale e scritta:

a) Una gita nel bosco.

b) Un fulmine ha abbattuto la vecchia quercia.

c) Parla dell'utilità del legno.

PROVERBIO

— *Si raccoglie quel che si semina.*

11 che animale!

Non posso sopportare il mio amico! Non è mai d'accordo con me, quando parliamo di animali. È l'unico argomento che ci divide, perché per tutto il resto, anche se discutiamo di polịtica o di una partita di cạlcio, abbiamo generalmente le stesse idee ed arriviamo sempre alle stesse conclusioni.

È concepịbile che due persone vạdano perfettamente d'accordo parlando di polịtica e di sport? Eppure, io ed il mio amico, con la mạssima serenità, riusciamo a discụtere pacatamente anche di questi argomenti.

Per gli animali, no! È strano, ma è cosí! Ed il bello è che, anche se accenniạmo soltanto al gatto o agli uccellini, mi dice con tono severo: « Sei un vero animale, non capisci! ». Poi, quasi per consolarmi, aggiunge: « Io ho riflettuto molto sugli animali! ». E conclude pensieroso: « Come gli uọmini, sono come gli uọmini! ».

L'altro giorno, parlando dei topi che abbiamo in casa, dicevo: « Ci vuole un gatto! ». « Un gatto?! — m'interrompe lui — Nella nostra casa di campagna, l'estate scorsa, un gatto stava in cucina, spaventatissimo, e non voleva uscire! E sai perché? Perché davanti la porta c'era un topo grosso come un coniglio! ».

Un'altra volta, vedendo un cane, senza nessuna intenzione di discutere, dissi distrattamente: « L'amico dell'uomo! ».

E quello subito: « Bell'amico! Tu forse non sai che io sono stato ricoverato all'ospedale per un morso di un cane ad una gamba! ».

Ma come si può negare l'utilità degli animali? Eppure il mio amico è sempre scettico: « Sí, l'uovo, il latte, la carne, la pelle... Ma se non ti guardi?! Pensa alla vipera: un serpentello di pochi centimetri! Basta un morso ed è la fine! E lo scorpione?! Non parliamo poi delle bestie feroci, quelle che si vedono tanto mansuete nei giardini zoologici! ».

Cosí affrontiamo l'argomento della funzione e dell'utilità del giardino zoologico, mentre passeggiamo per strade solitarie e tranquille; ma è un argomento che dobbiamo lasciare in tronco per non rischiare di interrompere la passeggiatina e di tornare a casa per strade diverse!

Da ricordare:

l'animale	l'asino	la pecora ....
il cane	il mulo	la capra ....
il gatto	il cavallo	l'agnello ....
il gallo	il cammello	la vacca ....
la gallina	il coniglio	il toro ....
il pulcino	il maiale	il vitello ....
il leone	la giraffa	il cinghiale ....
il lupo	il leopardo	la scimmia ....
l'elefante	il bufalo	lo sciacallo ....
la tigre	la zebra	la iena ....

il rinoceronte	l'orso	la volpe ....
l'ippopotamo	il cervo	la lepre ....
l'uccello	l'usignuolo	il corvo ....
il passero	la rondine	l'aquila ....

il pesce	la sogliola	il pescespada ....
la sarda	la triglia	il delfino ....
il merluzzo	il tonno	la balena ....

il cacciatore	la caccia	la pesca ....

Fraseologia elementare:

Visitare un giardino zoologico – Allevare gli animali domestici – Andare a caccia di animali selvatici – Gli animali feroci vivono nelle foreste – Prendere gli uccelli con la rete – Pescare con la canna e l'amo – Pescare con la rete – Partecipare ad una partita di caccia – La caccia alla volpe.

Il cane abbaia – Il gatto miagola – Il cavallo nitrisce – La pecora bela – Il bue muggisce – Il maiale grugnisce – L'usignuolo canta – Il gallo canta (fa chicchirichì) – Il leone ruggisce – Il lupo ulula – L'elefante barrisce.

Rispondere alle domande:

1) Hai degli animali a casa? 2) Qual è l'animale domestico che ti piace di piú? 3) Tra gli uccelli, quale ti piace di piú? 4) Quanti animali selvatici puoi enumerare? 5) Vai qualche volta a pescare? 6) Sei stato mai in un parco dove vivono degli animali feroci? 7) Sai quali sono gli animali da pelliccia? 8) Sai distinguere un gallo da una gallina, una pecora da una capra, un asino da un mulo? 9) Hai assistito mai ad una corsa di cavalli? 10) Hai mai visto un mercato di bestiame?

Competenza!

Una personalità autorevole visita un giorno un allevamento di polli, e non volendo far capire che è la prima volta che vede da vicino dei pulcini, dimostra di interessarsi molto all'attività dell'azienda.

Davanti ad un recinto pieno di pulcini chiede all'uomo che l'accompagna: « Succhiano ancora il latte della chioccia? ».

L'uomo imbarazzato cerca di spiegare: « Veramente, eccellenza, i pulcini non succhiano ».

« Capisco, capisco! ... Li avete già svezzati! ».

Speranza delusa!

Una povera donna porta il figlio da un dottore per farlo visitare.

« Dottore, sono molto preoccupata; questo ragazzo crede di essere una gallina! ... ».

« Da quanto tempo dichiara di essere una gallina? ».

« Da più di sei mesi! ».

« Sei mesi?! E venite soltanto ora? ».

« Dottore, noi siamo molto poveri ... Volevamo vedere se faceva qualche uovo! ».

ESERCIZIO 21 – *Sostituire il presente dei verbi con il passato prossimo ed il passato remoto* – (Esempio: « Il cacciatore sta dietro la siepe ed attende la lepre » – Il cacciatore è stato (stette) dietro la siepe ed ha atteso (attese) la lepre »).

1) Il cacciatore sta dietro la siepe ed attende la lepre ·· 2) Gli animali feroci nascono e vivono nelle foreste – 3) La ragazza mette le uova nel paniere ed attende la zia – 4) Questo signore uccide il leone e corre a comunicarlo agli amici – 5) La riuscita della caccia alla volpe dipende dalla capacità dei partecipanti – 6) Il cacciatore appende il fucile al

muro e mette i conigli sul tavolo – 7) Il cavallo bianco vince la corsa –
8) La tigre cade ferita ed il cacciatore la prende – 9) Quando scende
la sera si conclude la partita di caccia – 10) Nella stalla il veterinario
discute con il contadino, poi prende la decisione e si mette al lavoro per
salvare l'animale.

Esercitazione orale e scritta:

a) Descrivi un giardino zoologico.

b) Un allevamento di polli.

c) Descrivi l'episodio relativo agli animali, che piú ti ha colpito.

PROVERBI

— *Il lupo perde il pelo, ma non il vizio.*

— *A caval donato non si guarda in bocca.*

— *Cane che abbaia, non morde.*

— *La gatta frettolosa fa i gattini ciechi.*

— *Quando la gatta non c'è, i topi ballano.*

— *L'occhio del padrone ingrassa il cavallo.*

A - si accendono le prime luci della città

Avete mai notato quanta malinconia si prova quando, in una città che non è la nostra, si arriva alla fine di una giornata?

Il sole è tramontato da poco ed ancora non è buio completo; c'è l'incerta luce che precede il calare delle tenebre e nei negozi si accendono le prime luci. Le insegne luminose danno un volto nuovo alla città.

Le persone sembrano spinte da un'ansia insolita, come se fossero preoccupate di non arrivare in tempo ad un appuntamento! Fanno gli ultimi acquisti per correre subito a casa.

Chi non ha una casa ed una famiglia che l'attende, perché è di passaggio in quella città, cammina lentamente, si sofferma davanti ad ogni vetrina o resta a guardare la gente, quasi chiedendo con lo sguardo che non lo lascino solo nella strada, in un momento in cui piú si sente il bisogno di avere accanto una persona cara.

Ma nessuno si accorge di noi!

Questa sensazione di tristezza si prova non solo se si è in giro per un viaggio di affari, quindi per ragioni di lavoro, ma anche se si è in viaggio turistico!

Ci si sente soli in mezzo a tanta gente estranea ed è soprattutto sull'imbrunire che questo senso di solitudine dà una stretta al cuore, come se una mano ignota palpasse dentro di noi fino a farci soffrire.

Le signore camminano a passo svelto sottobraccio ai loro mariti, gli uomini vanno sicuri verso luoghi noti, le ragazze si affrettano per rientrare a casa dopo la passeggiatina pomeridiana; tutti vanno...

Noi, soli e tristi, cerchiamo un ristorante e pensiamo di rifugiarci, dopo aver cenato, in un cinema qualsiasi per passare la serata con la nostra malinconia!

B - dove si compra bene?

A – Scusi, può indicarmi un negozio in cui sia possibile acquistare fazzoletti, cravatte e calzini a buon prezzo?

B – Certo! Percorrendo questa strada, dopo la terza traversa, lei arriva all'angolo dove c'è una farmacia; svoltando a destra c'è una grande macelleria, poi un'edicola di giornali, subito dopo ci sono due o tre negozi eleganti, dove può trovare tutto ciò che cerca.

A – Gr**a**zie, molto gentile.

B – Però sono negozi eleganti! I prezzi sono alti, perché qui siamo al centro... Alla perifer**i**a potrebbe trovare la stessa merce quasi a metà prezzo; se prende un taxi, arriva s**u**bito in via dei Pini, a pochi minuti da qui, al n**u**mero 54... Un neg**o**zio con un grande assortimento... Prezzi **o**ttimi!

A – I prezzi saranno pi**ú** bassi, ma c'è da aggi**u**ngere il prezzo della corsa del taxi!... Lei conosce bene quel neg**o**zio?

B – È il migliore neg**o**zio della città; la propriet**a**ria è mia sorella!

Da ricordare:

la metr**o**poli	il viale	il magazzino ....
la città	il v**i**colo	il mercato ....
il capoluogo	il cortile	la panetter**i**a ....
il paese	la traversa	la pasticcer**i**a ....
il vill**a**ggio	l'**a**ngolo	la salumer**i**a ....
il centro	l'incr**o**cio	la drogher**i**a ....
la perifer**i**a	la piazza	la macceller**i**a ....
il quartiere	il marciapiedi	la vetrina ....
la strada	il neg**o**zio	il negoziante ....
la via	l'emp**o**rio	il commesso ....
il munic**i**pio	la questura	il tribunale ....
la prefettura	il commissariato	il mus**e**o ....
la chiesa	il c**i**nema	il teatro ....
il v**i**gile	la segnalazione	l'**a**utobus ....
il sem**a**foro	il taxi	la fermata ....

Fraseologi**a elementare:**

Visitare una città – Perc**o**rrere le strade a piedi – Visitare un mus**e**o (una galler**i**a, i monumenti) – Visitare i dintorni – Monumenti di interesse art**i**stico (st**o**rico) – L'uff**i**cio tur**i**stico – La guida tur**i**stica – I grandi magazzini – Il supermercato – Fare acquisti – Negozi che pr**a**ticano prezzi alti (m**o**dici, bassi) – Sv**e**ndita per liquidazione – Prezzi d'occasione – Praticare prezzi fissi – Chi**e**dere uno sconto – V**e**ndita all'ingrosso (al minuto, al dett**a**glio) – Neg**o**zio di g**e**neri alimentari.

Frequentare i locali notturni – Andare al c**i**nema (al teatro) – C**i**nema con programmi di prima visione – Prenotare una poltrona – Acquistare il biglietto.

Rispondere alle domande:

1) Segui un programma ordinato quando visiti una città? 2) Ti piace guardare le vetrine dei negozi? 3) Prendi l'autobus o il taxi per spostarti da un punto all'altro della città? 4) Quando devi comprare qualche cosa, ti fermi al primo negozio? 5) Entri nei negozi, anche se non devi comprare nulla? 6) Per fare degli acquisti, cerchi sempre i negozi con grande assortimento di articoli? 7) Preferisci i negozi dove si vende a prezzi fissi? 8) Per visitare un museo ritieni che sia sempre utile la guida? 9) Ti orienti con facilità in una grande metropoli? 10) Qual è la più bella città che hai visitata?

1) Quale tipo di film ti piace di più 2) Che cosa pensi della produzione cinematografica di oggi? 3) Ti piace l'opera lirica? 4) Se vai ad un concerto, riconosci se l'esecuzione è ottima o mediocre? 5) Scegli i film secondo l'interprete o secondo il regista che li ha realizzati? 6) Ti piacciono i film di avventure che impressionano lo spettatore? 7) Qual è l'ultimo film che hai visto? 8) Frequenti i locali notturni? 9) Ti piacciono i cartoni animati? 10) Hai mai pensato di fare l'attore cinematografico?

Circolazione difficile

Un vigile urbano fa segno di fermarsi ad una bella signora che guida la macchina con il marito seduto accanto. Si avvicina al finestrino, saluta gentilmente e le contesta le varie infrazioni:

« Signora, lei è passata all'incrocio quando al semaforo c'era la luce rossa, ha superato a destra una macchina che la precedeva, ora sta entrando in una strada a senso vietato... ».

« Uh, quante complicazioni! — esclama la signora — Senta, io non capisco niente, come dice sempre mio marito; parli con lui che sa tutto! Che vita impossibile!! ».

Esercizio 22 – *Sostituire il presente dei verbi con il passato prossimo ed il passato remoto* – (Esempio: « Io percorro in fretta questo viale » – « Io ho percorso (percorsi) in fretta questo viale »).

1) Io percorro in fretta questo viale – 2) I prezzi crescono da un giorno all'altro – 3) L'autista commette un'infrazione – 4) I negozianti di sera accendono le insegne luminose – 5) Essi vivono bene in questa

città – 6) La signora discute a lungo con il vigile urbano – 7) Mi rincresce non avere le riproduzioni di quei quadri – 8) Chiedono informazioni al vigile e sanno tutto sull'itinerario da seguire – 9) Il signore mi scrive l'indirizzo esatto e me lo porge – 10) Decidono di andare al cinema ed attendono alla fermata l'arrivo dell'autobus.

Esercitazione orale e scritta:

a) Descrivi la prima giornata in una città che visiti per la prima volta.

b) Parla dei prezzi dei generi alimentari.

c) Una visita ai grandi magazzini.

a) Esponi l'argomento dell'ultimo film che hai visto.

b) Una serata a teatro.

c) Parla degli artisti che ammiri di piú.

PROVERBI

— *Chi disprezza, vuol comprare.*

— *Tutto è bene quel che finisce bene.*

— *Chi cerca, trova.*

— *Ride bene chi ride l'ultimo.*

C - al bar

A – (al cameriere) Per piacere, un caffè non molto ristretto ed un « cappuccino ».
(all'amico) In tutti i bar il caffè è ottimo, ma pare che abbiano paura di aggiungere dell'acqua; ti danno un fondo di tazzina che scuote i nervi! Piú che caffè, è estratto di caffè!

B – Io preferisco il « cappuccino » o il caffè macchiato, perché il latte rende meno dannoso il caffè. Un caffè lungo, poche gocce di latte, due zollette di zucchero... Non può far male!

A – A me fa male anche con il latte, ma non rinuncerei mai alla mia tazzina di caffè! Come si può vivere senza caffè?!

B – Già, come si può vivere? Ho sentito dire che c'è qualcuno che non ha mai preso una tazzina di caffè!! Mah!... Incredibile!...

Da ricordare:

il bar	l'espresso	l'aperitivo ....
il barista	il « cappuccino »	la birra ....
il cameriere	il liquore	la tazza ....
il caffè	l'analcolico	il piattino ....
il tè	l'aranciata	il cucchiaino ....
il latte	la spremuta	la mancia ....

Fraseologia elementare:

Ordinare un caffè – Prendere un caffè – L'acqua minerale – La spremuta d'arancia (di limone) – La zolletta di zucchero – Il pane tostato con il burro – La macedonia di frutta – La marmellata di ciliegie – Un gelato alla fragola – Chiedere il conto – Servizio compreso – Ricevere il resto – Lasciare il resto come mancia.

Rispondere alle domande:

1) Prendi molti caffè durante la giornata? 2) Vai spesso al bar con gli amici? 3) Ritieni che il caffè faccia male? 4) Ti piacciono i gelati? 5) Sei abituato a bere liquori? 6) Paghi sempre tu il caffè agli amici? 7) Dai sempre la mancia al cameriere? 8) Quali sono le bibite che preferisci? 9) Mangi qualche volta alla « tavola calda? » 10) Ti sei mai ubriacato?

D - un conto in banca!

A – Scusi è questo lo sportello dove si possono ritirare i soldi?

B – No, signore; è lo sportello accanto, il numero 6.

A – Scusi, l'impiegato dello sportello numero 5 mi ha detto che qui si possono ritirare i soldi...

C – Sí, signore; ha un assegno o un conto corrente?

A – No, io non ho né assegno né conto corrente; ma sento sempre dire da un mio amico che viene qui, in banca, a ritirare i soldi... Anche il suo collega mi ha detto che allo sportello numero 6 pagano...

C – Non capisco! Questo è lo sportello della cassa ed io sono il cassiere e pago... Ma, per ritirarli, è necessario che i soldi siano prima depositati in banca!

A – Ah! Ma allora c'è un equivoco; io credevo...

Da ricordare:

la banca	la cassa	la cambiale ....
il direttore	il deposito	la scadenza ....
l'impiegato	il prelevamento	la firma ....
il cassiere	l'assegno	la quietanza ....
lo sportello	la girata	la cassaforte ....

Rispòndere alle domande:

1) Ti piacerebbe fare l'impiegato di banca? 2) Sai com'è organizzata una banca? 3) Hai un conto corrente in banca? 4) Quando devi pagare una grossa somma, paghi con un assegno? 5) Sai che cos'è la « girata »? 6) Ritieni che sia ùtile disporre di una cassetta di sicurezza? 7) Hai mai visto il servìzio meccanogràfico di una banca? 8) I soldi, conviene tenerli in casa o depositati in banca? 9) Sai qual è la differenza tra « banchiere » e « bancàrio » 10) Qual è la banca piú importante della tua città?

E - all'ufficio postale

A – Per piacere, devo spedire quattro lèttere con affrancatura normale, due raccomandate ed un espresso; la prego di darmi anche dei francobolli per queste cartoline illustrate...

B – Per « via aèrea? ».

A – Per « via aerea » soltanto le raccomandate e l'espresso, perché sono diretti all'estero.

B – Scriva nome, cognome ed indirizzo del mittente dietro le buste delle raccomandate...

A – Sempre distratto! L'avevo dimenticato...

B – Questa è la ricevuta delle raccomandate; non è necessario che le imbuchi, può lasciare tutto a me.

A – Grazie. Per spedire un telegramma?

B – Lo sportello numero 2; sul tavolo ci sono i moduli.

A – Fino a che ora resta aperto l'ufficio?

B – Questo sportello chiude alle ore diciassette; per i telegrammi l'ufficio resta sempre aperto al pubblico, c'è anche il servizio notturno.

A – Grazie, molto gentile. Spedirò anche un telegramma, ma prima devo vedere se c'è corrispondenza fermo posta per me. Quando non si ha un recapito fisso, si perdono i contatti anche con i familiari! Non ricevo posta da tanto tempo!

B – E che cosa dovrei dire io che non ricevo mai posta da nessuno! Con tutte queste lettere che mi passano per le mani, mai una lettera per me!

A – Deve essere penoso! Senta, mi dia il suo nome e l'indirizzo; io viaggio spesso... Le posso spedire di tanto in tanto qualche cartolina illustrata. È giusto che pure lei riceva almeno un saluto...

B – Ci spero proprio... Ecco, questo è il mio indirizzo, con nome e cognome. Se ricevo, le risponderò a stretto giro di posta!

Da ricordare:

la posta	l'affrancatura	l'indirizzo ....
la corrispondenza	la raccomandata	il destinatario ....
la lettera	l'espresso	il mittente ....
la busta	la cartolina	la buca ....
il francobollo	il telegramma	il pacco ....
il vaglia	la tassa	il postino ....

Fraseologia elementare:

Spedire (mandare) una lettera, un telegramma – Affrancare per via aerea – La buca delle lettere – Inviare una raccomandata con risposta pagata – Ricevere la corrispondenza fermo posta – Il fattorino postale – La distribuzione della posta – Restituire al portalettere una lettera ricevuta per errore – Campione senza valore – Spedire delle stampe sotto fascia – A stretto giro di posta – Vaglia postale – Casella postale.

Rispondere alle domande:

1) Ricevi molta corrispondenza? 2) Scrivi spesso agli amici ed ai parenti? 3) Fai collezione di francobolli? 5) Hai l'abitudine di scrivere le lettere a macchina? 5) Quando viaggi, spedisci delle cartoline illustrate agli amici? 6) Hai della carta intestata per le lettere? 7) Quando spedisci delle cartoline illustrate, fai una scelta accurata? 8) In occasione delle grandi feste scrivi delle lettere ad amici e conoscenti, o cartoline con semplici saluti? 9) Quando scrivi delle raccomandate? 10) Rispondi subito, quando ricevi una lettera?

L'insulto

Il direttore di un ufficio postale, accorgendosi che un signore parla in modo piuttosto agitato con un impiegato, si avvicina allo sportello e chiede spiegazioni ai due, che si scambiano volgari insulti.

« Mi par di capire — dice il direttore — che lei per primo ha insultato il nostro impiegato! ».

« Ma non è affatto vero! Io non ho insultato nessuno; ho semplicemente risposto ad una sua domanda... ».

« Di che domanda si tratta? ».

« Mi ha chiesto per chi lo prendessi... ed io glielo ho detto! ».

Esercizio 23 – *Formare delle frasi con la particella pronominale* **ne** – (Esempio: « Quanti caffè prendi al giorno? » – « Ne prendo molti »).

1) Quanti caffè prendi al giorno? – 2) Hai dei depositi in banca? – 3) Quante lettere scrivi ogni settimana? – 4) Quanti francobolli vuoi? – 5) Conosci gli impiegati dell'ufficio postale? – 6) Quanti bar della tua

79

città frequenti? – 7) Quando viaggi scrivi delle lettere alla tua famiglia? – 8) Senti il bisogno di disporre di molto denaro? – 9) Incontri sempre molti amici al bar? – 10) Parli spesso dei tuoi affari?

Esercitazione orale e scritta:

  a) Un appuntamento al bar.
  b) La vita di un impiegato di banca.
  c) La corrispondenza come mezzo per mantenere stretti legami di amicizia.
  d) L'attesa della posta.

PROVERBI

— *Gli amici si riconoscono nel bisogno.*
— *Il denaro apre tutte le porte.*
— *Nessuna nuova, buona nuova.*

F - al ristorante

A (cameriere) – Ecco la lista, signore.

B (cliente) – Mi suggerisca lei stesso qualche buon piatto.

A – Desidera un antipasto?

B – No, grazie.

A – Allora delle tagliatelle alla bolognese, un arrosto di vitello con contorno di patatine e piselli, un'insalata verde, del formaggio... o, se preferisce, una frittura di pesce...

B – Va bene l'arrosto.

A – Poi gelato o una fetta di torta...

B – No, soltanto della frutta fresca.

A – Acqua minerale e vino?

B – Sí, vino rosso.

A – Sarà servito subito.

. . . .

B – Si mangia veramente bene in questo ristorante.

A – Desidera caffè?

B – Sí, grazie; ed il conto, per piacere.
Per una buona digestione, il conto si dovrebbe dare prima di iniziare a mangiare! Sarebbe una proposta da fare a tutti i ristoranti... Come mai ancora non ci ha pensato nessuno?!

A – Ci sarebbe il pasto a prezzo fisso, ma... capirà!

B – Capisco, capisco benissimo!

Da ricordare:

il coperto	l'antipasto	la bistecca . . . .
il piatto	la minestra	il pesce . . . .
la forchetta	il brodo	la frittura . . . .
il cucchiaio	il risotto	la frittata . . . .
il coltello	la pastasciutta	il formaggio . . . .
il bicchiere	gli spaghetti	il dolce . . . .
la bottiglia	le tagliatelle	il contorno . . . .
la brocca	le lasagne	l'insalata . . . .
la tovaglia	la carne	il conto . . . .
il tovagliolo	l'arrosto	il servizio . . . .

Rispondere alle domande:

1) Vai spesso a mangiare al ristorante? 2) Ti piace mangiare all'italiana? 3) Quali sono i piatti che preferisci? 4) Ti piace il pesce? 5) Sei molto esigente nella scelta dei vini? 6) Mangi molta verdura? 7) Generalmente mangi molto la sera? 8) Lasci sempre la mancia al cameriere del ristorante? 9) Mangi molto pane durante i pasti? 10) Qual è il piatto tipico del tuo Paese?

Le olive nere!

Un bambino chiede con insistenza al padre:

« *Papà, le olive nere hanno le zampe?* ».

« *No. Ma che cosa ti viene in mente?* ».

« *Ma è sicuro?!* ».

« *Certo!* ».

« *Allora non c'è dubbio... Ho mangiato uno scarafaggio!* ».

G - ricordo di un albergo

In questo albergo scendemmo in occasione del nostro viaggio di nozze, tanti anni fa. Arrivammo, dopo un lungo viaggio in treno, con borse e valigie nuove e tutti, dal portiere al direttore, ci guardavano in modo strano... Avevano capito subito che eravamo sposini in viaggio di nozze, anche se noi volevamo assumere un'aria indifferente!

« Prego, si accomodino; abbiamo preparato la piú bella camera con bagno e salottino, letto matrimoniale; ma se vogliono i letti separati... ».

« Va bene cosí, grazie ».

Abbiamo sempre ricordato quel periodo della luna di miele come un sogno, l'inizio di una vita in comune piena di felicità. Ci è rimasto vivo il ricordo di ogni momento: la prima colazione servita in camera, la cena nel suggestivo angolo del salone del ristorante con la candela accesa sul tavolo, gli inchini dei camerieri... Le brevi passeggiate nelle strade dell'incantevole città, la mano nella mano, e poi il rientro all'albergo, come un ritorno di uccelli al nido...

Ora abbiamo voluto rivedere il noto albergo: abbiamo ritrovato lo stesso portiere, invecchiato e mal ridotto; lo stesso ristorante, le stesse camere... Ma che atmosfera! Come se fossero passati dei secoli!

« Ragazzo, prendi quelle valigie; camera numero 476 ».

Tutto è mutato, vecchio... Le pareti hanno acquistato il colore grigio delle cose antiche... I mobili sono quelli di un tempo... Le persone addette al servizio guardano per terra, sembrano rassegnate, stanche!

Noi invece, dopo il primo sbigottimento, ritroviamo i nostri venticinque anni e gli stessi vecchi muri fanno riaffiorare i ricordi della nostra prima felicità.

Le pareti a poco a poco acquistano tenui colori freschi, i tendaggi si alleggeriscono, le persone ci appaiono quelle di una volta, ci sembra addirittura che sorridano... Potenza della fantasia!

Parliamo piano: per cenare cerchiamo l'angolo di un tempo e, quando siamo certi che nessuno ci vede, ci guardiamo negli occhi accarezzandoci la mano... I nostri capelli bianchi non ci impediscono di guardarci ancora come due innamorati al primo incontro!

Gli ambienti attorno a noi si dilatano... e tutto ciò che ci circonda prende lievemente il tono del nostro dolce sorriso.

Da ricordare:

l'albergo	il direttore	il cameriere ....
la prenotazione	il portiere	l'interprete ....
la camera	il fattorino	la valigia ....
il bagno	il facchino	il bagaglio ....

Fraseologia elementare:

Prenotare una camera all'albergo – La camera matrimoniale – La camera a due letti – La camera ad un letto – La camera con bagno (con doccia) – La pensione completa – La mezza pensione – Far portare il bagaglio in camera – Dare la mancia al facchino – Indicare l'orario della sveglia – Far chiamare un taxi – Consumare i pasti nel ristorante dell'albergo – Consegnare la chiave della camera prima di partire – Chiedere il conto – Nel prezzo della camera è compresa la prima colazione – Non trovare una camera in un albergo.

Rispondere alle domande:

1) Quando viaggi, prenoti sempre la camera dell'albergo? 2) Sei stato qualche volta in un albergo di lusso? 3) Qual è il costo medio di una camera negli alberghi della tua città? 4) Ti piace la vita di albergo? 5) Cerchi di solito alberghi con aria condizionata e con riscaldamento? 6) Hai reclamato qualche volta per il cattivo servizio di un albergo?

84

7) Quando sei in viaggio, inviti i tuoi amici nel bar o nel ristorante dell'albergo? 8) Dai molte mance ai camerieri? 9) Sai che cosa è la stagione alta e la stagione bassa degli alberghi? 10) Ti piacerebbe essere direttore di un grande albergo?

ESERCIZIO 24 – *Formare delle frasi con il verbo all'imperativo* – (Esempio: « Tu non mangi molto » – « Non mangiare molto »; « Tu prenoti la camera » – « Prenota la camera »).

1) Tu non mangi molto – 2) Tu prenoti la camera – 3) Tu non viaggi con molti bagagli – 4) Essi non arrivano tardi – 5) Tu non accetti l'invito – 6) Tu lasci un messaggio al portiere dell'albergo – 7) Tu non parti domani – 8) Tu cerchi bene dentro le tue valigie – 9) Tu non bevi liquori – 10) Tu non mi telefoni all'albergo.

ESERCIZIO 25 – *Fare la forma negativa delle frasi* – (Esempio: « Vieni con me » – « Non venire con me »).

1) Vieni con me – 2) Cammina piano – 3) Mangia questo dolce – 4) Siediti vicino a me – 5) Preparami il conto – 6) Fate questo viaggio – 7) Chiedilo al cameriere – 8) Esci solo di notte – 9) Scegli sempre alberghi di terza categoria – 10) Bevi molto durante i pasti.

Esercitazione orale e scritta:

  a) Descrivi un pranzo di un ottimo ristorante.

  b) La tua prima indigestione.

  c) Un felice incontro in un albergo.

  d) Una vacanza in un albergo turistico.

PROVERBI

— *Meglio l'uovo oggi che la gallina domani.*

— *Meglio la nota del trattore che quella del dottore.*

— *Chi tardi arriva, male alloggia.*

13 la scelta della professione

In famiglia avẹvano deciso, fin da quando io avevo dieci anni, che avrẹi dovuto fare l'avvocato, perché un mio zio aveva lo stụdio bene avviato e guadagnava molto. Poi, con il passare degli anni, si cominciò a pensare alla medicina; successivamente tutti stabilịrono che la migliore professione era quella dell'ingegnere o dell'architetto. Era il perịodo in cui molta gente investiva grandi capitali nelle costruzioni e nascẹvano nuovi ed eleganti quartieri in tutte le città!

Mio padre esprimeva qualche dụbbio, perché aveva due amici, uno notạio e l'altro giụdice di tribunale, che godẹvano della stima di tutti e guadagnạvano bene. Quando a casa si parlava del mio avvenire, diceva con tono solenne: « Le ụniche professioni di vero prestịgio sono due, quella del notạio e quella del magistrato! ». Ripetendo queste parole, come se volesse chiụdere il discorso, sembrava che volesse gravemente ammonire: « Voi non capite niente della scelta di una professione! ».

Io seguivo con curiosità tutte quelle discussioni; nessuno però si
preoccupava di chiẹdermi se io avessi qualche idẹa sul mio futuro! Per-

ciò fu grande la sorpresa quando, terminati gli studi delle scuole medie superiori, dissi che .volevo fare il pittore!

« Il pittore?! Ma gli artisti non hanno un avvenire sicuro! ».

Fui irremovibile: « Il pittore! ».

Ora dipingo ad olio e ad acquerello, qualche volta anche a tempera; ma nessuno capisce i miei quadri! E questo è comprensibile; perché l'arte, quando è vera arte, è difficile e non è fatta per tutti.

Io stesso non sempre capisco le mie opere; ma questo è forse il segno piú chiaro che sono sulla via giusta, sulla via del capolavoro!

Da ricordare:

la professione	il magistrato	il falegname . . . .
il professionista	l'artista	il fabbro . . . .
il maestro	il pittore	il muratore . . . .
il professore	lo scultore	l'idraulico . . . .
l'avvocato	l'attore	l'elettricista . . . .
il notaio	lo scrittore	il calzolaio . . . .
il medico	il poeta	il barbiere . . . .
il farmacista	il romanziere	il parrucchiere . . . .
l'ingegnere	il mestiere	il sarto . . . .
l'architetto	l'operaio	il tappezziere . . . .
il diplomatico	il tecnico	il tipografo . . . .

Fraseologia elementare:

Il maestro insegna nelle scuole elementari – Il professore insegna nelle scuole superiori – L'avvocato difende le cause – Il notaio redige gli atti, li autentica, li tiene in deposito, ne rilascia copie – Il medico cura gli ammalati – Il chirurgo interviene nei casi gravi ed opera – Il farmacista vende le medicine – L'ingegnere dirige i lavori di una costruzione – L'architetto prepara il progetto – Il magistrato amministra la giustizia – L'artista crea – Il pittore dipinge – Lo scultore scolpisce – L'attore recita, interpreta una parte – Lo scrittore scrive novelle, romanzi, poesie, saggi – Il poeta compone.

L'operaio lavora – Il falegname lavora il legno – Il fabbro lavora il ferro – Il muratore costruisce e ripara le case – L'idraulico monta e ripara l'impianto delle tubature dell'acqua – Il calzolaio fa e ripara le scarpe – Il barbiere taglia i capelli e rade la barba – Il parrucchiere acconcia i capelli delle donne – Il sarto taglia e cuce i vestiti.

Scegliere una carriera – Esercitare una professione – La scelta di una professione – Lo studio dell'avvocato – Avere uno studio bene avviato – Essere un operaio specializzato.

Rispondere alle domande:

1) Qual è la tua professione (il tuo mestiere)? 2) Qual è la professione che ti piacerebbe esercitare? 3) Qual è, secondo te, la professione che richiede grandi sacrifici? 4) Conosci qualcuno che considera la propria professione come una missione? 5) Come si sceglie una professione? 6) Sei soddisfatto della tua attività? 7) Ti piacerebbe essere un artista del cinema? 8) Quali sono i mestieri piú utili? 9) Quando si rende di piú, svolgendo la propria attività? 10) Consideri il lavoro una necessità o un dovere sociale?

Ad una mostra personale

In una sala in cui sono esposti i quadri di un noto pittore, due visitatori si soffermano davanti ad un quadro che raffigura un paesaggio con il sole dietro le montagne.

« Secondo te è un'alba o un tramonto? » chiede il primo.

« Un tramonto, senza dubbio! » dice l'altro.

« Ma come fai a capirlo? Dal colore delle montagne sembrerebbe piuttosto... ».

« Io conosco il pittore; è mio amico... In vita sua non si è mai alzato prima delle undici! ».

La scelta della professione

Si discute in famiglia per la scelta della professione dell'unico figlio. Ad un certo punto il padre, realisticamente, si rivolge al giovane: « Con i tempi che corrono, io escluderei la professione libera e l'impiego statale. Perché non seguire il mio esempio? Io da ragazzo entrai come garzone in una macelleria e poi a poco a poco, lira sopra lira, sono riuscito a mettere su il nostro bel negozio...».

« Ma quelli erano altri tempi, papà! Oggi ci sono i registratori di cassa! ».

ESERCIZIO 26 – *Formare delle frasi con il verbo al passato prossimo ed al passato remoto* – (Esempio: «Chi sceglie la tua professione?» – «Chi ha scelto (scelse) la tua professione?»).

1) Chi sceglie la tua professione? – 2) Questo giovane esprime sempre con chiarezza le sue idee – 3) L'avvocato non vuole difendere questa causa – 4) Mia madre chiede sempre consigli al medico – 5) Il pittore dipinge all'aperto – 6) Questo poeta scrive poco, ma compone delle poesie meravigliose – 7) Un operaio abile fa questo lavoro in pochissimo tempo – 8) Non ha tempo e quindi fa tutto male – 9) L'imputato piange, ma risponde a tutte le domande del giudice – 10) In famiglia si discute, nascono delle polemiche, ma alla fine vince il buon senso ed il giovane si persuade.

ESERCIZIO 27 – *Formare delle frasi con il congiuntivo ed il condizionale* – (Esempio: «Se bevo ancora, mi ubriaco» – «Se bevessi ancora, mi ubriacherei»).

1) Se bevo ancora, mi ubriaco – 2) Se fai così, sei sicuro di riuscire – 3) Se hai coraggio, puoi parlare – 4) Se dici la verità, ti perdono – 5) Se mi chiama, vado subito da lui – 6) Se stai buono, ti tengo con me – 7) Se voi fate il vostro dovere, io so come regolarmi – 8) Io ti odo bene, se parli più forte – 9) Se li invitiamo, certamente vengono con noi – 10) Se facciamo in tempo, possiamo partire oggi.

Esercitazione orale e scritta:

a) Parla degli artigiani che vedi lungo la strada, venendo da casa a scuola.

b) Qual è, secondo te, la professione ideale?

c) L'uomo deve essere valutato per la professione o per il mestiere che esercita, o per il modo come l'esercita? Cita qualche esempio.

PROVERBIO

— *Meglio un asino vivo che un dottore morto.*

14 viaggi e gite

A - lei viaggia in aereo?

La nostra è l'epoca dei viaggi, del movimento continuo di gente che va da una parte all'altra con qualsiasi mezzo di trasporto. Gli angoli piú remoti della terra sono raggiunti da persone che viaggiano per affari e da persone che sono spinte unicamente dal desiderio di vedere e di conoscere; sembra che tutti siano presi dalla frenesia di muoversi per scoprire il mondo!

Eppure c'è ancora qualcuno che si limita a viaggiare... con la fantasia!

A – Con il progresso siamo arrivati all'aereo supersonico; poche ore di volo per raggiungere un altro continente, pochi minuti per spostarsi da una città all'altra!

B – Resta da risolvere il problema della partenza e quello dell'arrivo, perché è veramente notevole il tempo che si perde per raggiungere un aeroporto, o per trasferirsi dall'aeroporto in città!

A – Lei viaggia in aereo?

B – Spesso, per guadagnare tempo, per lunghi viaggi mi sposto in aereo, ma generalmente preferisco il treno e, se ho molto tempo a disposizione, la nave.

A – Io devo confessare che non ho mai viaggiato in aereo. Non ho paura, ma il solo fatto di pensare che si resta sospesi nel vuoto!...

B – Allora, se deve affrontare un lungo viaggio, preferisce la nave?

A – No! Mi hanno detto che, se il mare è mosso, la nave balla come un pezzetto di legno in una vasca con l'acqua agitata... e non si può stare in piedi! Deve essere terribile!

B – In questo caso non le resta che il treno o l'automobile!

A – Ma con tutte le notizie di disastri e di incidenti che leggo nei giornali... le assicuro che penso con nostalgia alla carrozza a cavalli! Per me è già un tormento prendere un autobus in città e spesso percorro a piedi dei chilometri...

B – Ma se deve viaggiare, di quale mezzo si serve?

A – Io non viaggio! Non ho viaggiato mai!

B – Mai?! Ma come vive! Che cosa fa?

A – Vivo bene! Faccio l'albergatore; ho un piccolo albergo che è sempre pieno di clienti che viaggiano spesso... Parlo sempre con loro di viaggi, di mezzi di trasporto, delle caratteristiche delle varie parti del mondo...
So tutto sugli aerei, sulle navi, sui treni, sulle automobili; proprio tutto! Ma viaggiare... mai!

Rispondere alle domande:

1) Hai viaggiato mai in aereo? 2) Prenoti sempre il posto prima di intraprendere un viaggio? 3) Sei stato mai su una grande nave? 4) Hai fatto qualche lungo viaggio in treno? 5) Qual è la differenza tra gli aeroplani di oggi e quelli di trent'anni fa? 6) Qual è, secondo te, il mezzo piú comodo per viaggiare? 7) Sai andare in bicicletta? 8) Hai la patente di guida per la macchina? 9) Soffri il mal di mare? 10) Come viaggiavano i nostri nonni?

Che risata!

In uno scompartimento ferroviario c'è un unico viaggiatore che legge tranquillamente il giornale. Ad un certo momento entra un rapinatore mascherato con una pistola in mano, che urla: « Presto! Fuori i soldi, il portafogli! ».

Il viaggiatore, superato il primo momento di stupore e di spavento, scoppia in una sonora risata!

« Che cosa c'è da ridere?! I soldi! ».

« Veda, caro signore, io non ho neanche una lira in tasca. In un primo momento mi ero spaventato, perché credevo che fosse il controllore ed io non ho neanche il biglietto! ».

ESERCIZIO 28 – *Formare delle frasi con il verbo al passato prossimo ed al passato remoto* – (Esempio: « Io percorro sempre quésta strada » – « Io ho percorso (percorsi) sempre questa strada »).

1) Io percorro sempre questa strada – 2) Con la mia macchina raggiungo presto la città vicina – 3) Egli va piano e perde il treno – 4) Il viaggiatore raggiunge il suo posto riservato, mette la valigetta sotto il sedile, ed attende tranquillamente il momento della partenza – 5) Tutti leggono con raccapriccio la notizia del disastro ferroviario – 6) Il treno si muove lentamente nella stazione, così i viaggiatori si sporgono dai finestrini ed hanno il tempo di salutare gli amici – 7) Le macchine corrono a grande velocità nelle autostrade – 8) Lo rincorro con la mia bicicletta, ma non riesco a raggiungerlo; lo raggiungo soltanto nel tardo pomeriggio – 9) L'aereo, prima di atterrare, fa dei larghi giri sulla città – 10) La velocità mette in serio pericolo chi si illude di guadagnare tempo correndo.

Esercitazione orale e scritta:

a) Descrivi un porto con grande movimento di navi per passeggeri e per merci.

b) Alla stazione mentre parte un treno.

c) Il tuo primo lungo viaggio.

PROVERBI

— *Chi va piano, va sano e va lontano.*

— *Tutto il mondo è paese.*

— *Tutte le strade conducono a Roma.*

B - la domenica si va in gita!

« La tenda, l'ombrellone, il tavolinetto, i seggiolini, i cuscini, il termos del caffè, la bottiglia d'acqua minerale... ».

Il signor Paolo enumera i vari oggetti mentre li sistema nel portabagagli della macchina ed è già nervoso, perché trova che sempre manca qualche cosa e si finisce col dimenticare a casa ciò che in campagna risulta poi indispensabile... È la scena che si ripete regolarmente ogni domenica mattina!

La signora ha sempre qualche cosa da dire: « Perdiamo tanto tempo nei preparativi e poi restiamo poche ore all'aria aperta! Che bisogno c'è di portare la tenda, se abbiamo l'ombrellone? ».

« Io porto tutto! — replica il marito — Dammi l'astuccio con i piatti e le posate... Dove sono i bicchieri e le tazzine?! ».

La signora si è alzata prestissimo per preparare il timballo di riso e l'arrosto ed è già stanca prima di partire! Se dipendesse da lei, resterebbe con molto piacere a casa!

Quando finalmente sono in macchina e si avviano per raggiungere la campagna, riprendono il discorso della domenica precedente, come se l'avessero interrotto pochi minuti prima: « Ah! Poter respirare un po' d'aria pura dopo una settimana di lavoro in ufficio! » — « Ma quanta confusione per le strade! » — « E questa gente che ti sfiora con la macchina! » — « Che fatica uscire dalla città con questa circolazione caotica! ».

Tutti in fila, tutti con i nervi tesi, con i motori che si riscaldano perché si procede a passo d'uomo, tutti vanno alla ricerca della pace campestre!

Se si ha pazienza, arriva anche il momento in cui si raggiunge il bosco, l'angolino·sotto gli alberi! Ma la scelta del posto è sempre difficile: qui ci sono le pietre; lí ci sono le spine!

Che fame! È già arrivata l'ora in cui, di solito, a casa si mangia comodamente seduti.

Sarebbe ottimo fermarsi sotto il pino, ma c'è un gruppo di giovani a due passi con la radio accesa a pieno volume!

Pazienza! D'altro canto, non si può stare tutta la giornata a cercare il posto ideale, quello sognato per un'intera settimana; bisogna pur mangiare!

« Ma perché tanta gente va in gita la domenica??! ».

Il signor Paolo finalmente ha sistemato tutto! Mangiano in silenzio, come se fossero offesi. La signora, sempre accorta, ha portato le pillole per aiutare la digestione e contro il mal di fegato! Ce n'è tanto bisogno ogni domenica!

Ora sarebbe il momento di godersi la pace della campagna, sdraiati per terra, guardando le formiche tra i fili d'erba... Ma, quando hanno strappato le erbacce e disposto i cuscini, è già l'ora di raccogliere tavolinetto e seggiolini per tornare in città! Il sole già tramonta e con l'aria umida c'è il pericolo di buscarsi anche i reumatismi!

Da ricordare:

la gita	il seggiolino	l'autostop . . . .
la tenda	il tavolinetto	la spiaggia . . . .
l'ombrellone	il campeggio	la cabina . . . .

Fraseologia elementare:

Organizzare una gita – Fare una gita – Andare in gita – Andare al mare (in montagna, in campagna) – Avere tutta l'attrezzatura per il campeggio – Montare la tenda – Il sacco da montagna – La colazione al sacco – La sedia a sdraio – Il seggiolino pieghevole – Prendere il sole – Abbronzarsi – Prendere una scottatura – Il costume da bagno – Fare l'autostop – Il sacco a pelo.

Rispondere alle domande:

1) Vai spesso in gita? 2) Preferisci il mare o la montagna 3) Hai l'attrezzatura per il campeggio? 4) Hai praticato qualche volta l'auto-stop? 5) Hai dormito mai in un sacco a pelo? 6) Nella tua famiglia chi prepara tutto l'occorrente per una gita? 7) Pretendi di avere tutte le comodità quando fai una gita? 8) Ti piacciono le gite in comitiva organizzate dalle agenzie di viaggi? 9) Come passi il tempo quando trascorri una giornata al mare o in montagna? 10) Organizzi delle gite domenicali con gli amici?

Mai preoccuparsi!

Due coniugi hanno percorso già qualche chilometro in macchina per andare in gita. Il marito al volante della vecchia macchina, un po' preoccupato, rallenta.

«C'è qualche cosa che non va?» chiede la moglie.

« Sento un rumore strano nel motore che non mi piace affatto! ».

« Non preoccuparti, prosegui tranquillo; alzo il volume della radio, così non lo senti più! ».

ESERCIZIO 29 – *Formare delle frasi con il verbo al passato prossimo ed al passato remoto* – (Esempio: « L'aria di campagna ci rende sani » – « L'aria di campagna ci ha resi (rese) sani »).

1) L'aria di campagna ci rende sani – 2) Il bambino rompe il termos e piange – 3) Il caldo eccessivo ci costringe a restare in casa – 4) I ragazzi attendono a lungo il passaggio di una macchina – 5) La confusione rende la gita spiacevole – 6) I gitanti si spingono fino al bosco – 7) Quando vedono l'incidente, non ridono più – 8) Quando giungono nel bosco, stendono una coperta e si sdraiano per terra – 9) La signora propone di ritornare, ma il marito non vuole ascoltare i suoi consigli – 10) Davanti alla tenda accendono il fornellino e preparano la colazione.

96

ESERCIZIO 30 – *Formare delle frasi con il congiuntivo ed il condizionale* –
(Esempio: «Egli andava in gita e stava bene» – «Se fosse andato
in gita, sarebbe stato bene»).

1) Egli andava in gita e stava bene – 2) Se venivi con me, ti diver-
tivi – 3) Se lo sapevo, non parlavo – 4) Se ti vedevo, ti salutavo – 5) Noi
guardavamo e ci divertivamo – 6) Se partivamo in tempo, lo incontra-
vamo – 7) Se mi avvisava, partivo con lui – 8) Se montavate meglio
la tenda, il vento non l'abbatteva – 9) Viaggiavamo sempre in aereo
e non perdevamo tempo – 10) L'agenzia turistica aveva organizzato
bene il viaggio e ci siamo divertiti molto.

Esercitazione orale e scritta:

a) Ricorda qualche episodio spiacevole, verificatosi durante una gita.

b) Parla di una persona eccezionale, che hai incontrato in occasione di un viaggio turistico.

c) Descrivi tutta l'attrezzatura per il campeggio.

PROVERBI

— *Dove entra il sole, non entra il dottore.*

— *Dal dire al fare c'è di mezzo il mare.*

— *Chi si contenta, gode.*

— *Ogni medaglia ha il suo rovescio.*

15   il calcio, che passione!

Tutta la settimana il signor Roberto è un uomo normale, tranquillo e taciturno, sempre gentile con la moglie e con i figli, cortese con gli amici; soltanto la domenica diventa nervoso e qualche volta anche irascibile. La domenica c'è la partita di calcio!

La signora sa che, dopo una settimana di lavoro, suo marito ha bisogno di riposo e di svago, ma non riesce a capire che questo svago debba ridursi a quella manifestazione sportiva. Lei non si interessa di sport e quindi si rifiuta di seguire il marito al campo sportivo. Non sarebbe meglio andare in campagna o fare qualche visita agli amici?

È mai concepibile che un uomo serio diventi nevrastenico per quei giovani che corrono come i bambini dietro ad un pallone in un campo verde? Altro che passione! Questa è vera pazzia!

Alla partita non rinuncia mai, neanche se piove a catinelle, col rischio di prendersi anche un malanno!

E sono guai quando perde la squadra di cui è appassionato soste-
nitore il signor Roberto. È tanto buono, ma una volta, per un risultato
non previsto, la signora rischiò di essere presa a schiaffi dal marito!

Così, anche se non capisce nulla di sport, la domenica prega in
segreto perché quella tale squadra vinca! Si tratta della pace di tutta
la famiglia!

L'ultima domenica passata in casa, perché la *sua* squadra giocava
in un'altra città, per una decisione dell'arbitro ritenuta errata, poco
mancò che il signor Roberto non rompesse il televisore! Gridava come
un ossesso: « Doveva punire il terzino della squadra avversaria e con-
validare il goal! La rete era valida! ».

Per la signora è un linguaggio difficile, ma finisce per dare ragione
al marito e maledire pure lei l'arbitro! « Vedrai che la tua squadra
vincerà! ». Ma quello esplode agitando le mani: « Ma come fa a vin-
cere con un arbitro simile?! ».

Così la domenica si passa parlando di arbitri, di giocatori, di alle-
natori... Quando la partita è finita, nel più assoluto silenzio, si deve
ascoltare alla radio il commento minuzioso su tutte le partite della
giornata!

È veramente triste! Tutta una settimana di attesa con la prospet-
tiva di un pomeriggio domenicale grigio e monotono, quasi sempre
amareggiato dai risultati non previsti degli incontri di calcio!

Da ricordare:

lo sport	il nuoto	il pugilato . . . .
il calcio	il canottaggio	la lotta . . . .
il tennis	il pattinaggio	la gara . . . .
la pallacanestro	lo sci	la partita . . . .
la pallanuoto	l'atletica	l'incontro . . . .
il ciclismo	la corsa	lo stadio . . . .
l'automobilismo	il podismo	la piscina . . . .
l'equitazione	il salto	l'ippodromo . . . .
il trotto	il giavellotto	la pista . . . .
il galoppo	il disco	l'atleta . . . .
la scherma	il peso	il campione . . . .

Rispondere alle domande:

1) Pratichi qualche sport? Qual è? 2) Conosci le specialità dell'atletica leggera e dell'atletica pesante? 3) Qual è, secondo te, lo sport piú sano? 4) Sei andato mai a sciare? 5) Hai assistito a qualche partita di pallacanestro? 6) Vai allo stadio per assistere alle partite di calcio? 7) Quali sono gli impianti sportivi della tua città? 8) Ti piacciono le corse dei cavalli all'ippodromo? 9) Pensi che qualsiasi sport faccia bene alla salute? 10) Qual è lo sport che piú ti entusiasma e ti emoziona?

Lo sport

Se state a guardare uno sport, è un divertimento; se giocate anche voi, è una ricreazione; se vi ci arrabbiate, è golf.

ESERCIZIO 31 – *Formare delle frasi con il verbo al passato prossimo ed al passato remoto* – (Esempio: «L'atleta vince la gara con facilità» – «L'atleta ha vinto (vinse) la gara con facilità»).

1) L'atleta vince la gara con facilità – 2) Il ciclista cade, ma si rialza e riprende subito la corsa – 3) Il risultato dell'incontro delude la folla – 4) Il podista non regge allo sforzo – 5) L'esito della partita dipende dall'impegno dei giocatori – 6) I corridori si contendono i primi posti

della classifica – 7) Il distacco tra gli atleti cresce ad ogni giro di pista; qualcuno rimane molto lontano dai primi – 8) L'arbitro espelle il giocatore scorretto – 9) Questo pugile difende il suo primato, perciò risponde con violenza ad ogni colpo dell'avversario e lo costringe spesso alle corde – 10) Una grande folla accoglie il vincitore all'arrivo.

Esercizio 32 – *Formare delle frasi con il congiuntivo ed il condizionale –* (Esempio: « Se corri, arrivi subito » – « Se corressi, arriveresti subito »).

1) Se corri, arrivi subito – 2) Se faccio quattro passi a piedi, sto bene; se sto a lungo fermo, mi impigrisco – 3) Se essi dicono che non verranno, noi siamo liberi – 4) Se tutti fanno il loro dovere, noi possiamo stare tranquilli – 5) Se ci fermiamo qui, vediamo bene l'arrivo dei concorrenti e sappiamo subito il risultato della gara – 6) Se sono veloci, vanno e vengono in pochi minuti – 7) Se praticano uno sport, vivono sani a lungo – 8) Se accoglievamo il vincitore con applausi, la manifestazione si concludeva meglio – 9) Se costringevano i ragazzi a correre, non attendevano tanto tempo – 10) Se chiudevano lo stadio, toglievano a tanta gente la possibilità di assistere alla manifestazione.

Esercitazione orale e scritta:

a) Descrivi lo sport che, secondo te, è più avvincente.

b) Lo sport attraverso i tempi.

c) Un pomeriggio allo stadio per una manifestazione sportiva.

PROVERBI

— *Volere è potere.*

— *Chi lascia la strada vecchia per la nuova, sa quel che lascia e non sa quel che trova.*

LOCUZIONI AVVERBIALI

(da tradurre)

Formare delle frasi, servẹndosi delle varie locuzioni (Esempi: *A poco a poco* ti dirò tutto, ma ho bisogno di parlare con te *a quattr'occhi* – Va *di male in pẹggio*, non riesco a camminare *a piedi* – Il giọvane arriva *a precipịzio*, mette *alla rinfusa* poche cose nella valịgia e riparte *di nascosto* – Se ne sono andati *alla chetichella*, uscendo in *punta di piedi* – *Per l'appunto*, volevo dire questo: non sono cose che si fanno *in fretta e fụria* – Ho accettato *a denti stretti* –, ecc. ecc.).

Con la preposizione A

a bella posta (apposta) ....

a bizzeffe ....

a brịglia sciolta ....

a bruciapelo ....

alla buona ....

a buon mercato ....

alla carlona ....

a casạccio ....

a casọ ....

a catinelle (a dirotto) ....

a cavallo ....

alla chetichella ....

a denti stretti ....

alla fin fine ....

a gara ....

al minuto ....

a notte fonda ....

a ọcchio e croce ....

a penna ....

a pẹrdita d'ọcchio ....

a piedi ....

a pie' pari ....

a piú non possọ ....

a poco a poco

a precipịzio ....

a quattr'occhi ....

a rate ....

alla rinfusa ....

a rompicollo ....

a metà 103

all'impazzata . . . .   a scappa e fuggi . . . .

all'ingrosso . . . .   a spizzico . . . .

a iosa . . . .   a squarciagola . . . .

a lungo andare . . . .   a tempo perso . . . .

a matita . . . .   a tu per tu . . . .

alla meglio . . . .   a vanvera . . . .

a memoria . . . .   a vicenda . . . .

a menadito . . . .   a viso aperto . . . .

Con la preposizione DI

di buona lena . . . .   di nascosto . . . .

di buzzo buono . . . .   di palo in frasca . . . .

di corsa . . . .   di passaggio . . . .

di galoppo . . . .   di passo . . . .

di gran corsa . . . .   di riffe o di raffe . . . .

di grazia . . . .   di soppiatto . . . .

di male in peggio . . . .   di volata . . . .

Con la preposizione IN

in un batter d'occhio . . . .   in fretta e furia . . . .

in bilico . . . .   in gran fretta . . . .

in carne ed ossa . . . .   in ginocchio . . . .

in conclusione . . . .   in piedi . . . .

in un fiato . . . .   in punta di piedi . . . .

in forse . . . .   in un sorso . . . .

104   in fretta . . . .   in una volta . . . .

Con la preposizione PER

per adesso ....   per celia ....

per allora ....   per certo ....

per amore o per forza ....   per davvero ....

per l'appunto ....   per niente ....

per avventura ....   per ogni dove ....

per caso ....   per sempre ....

Altre locuzioni avverbiali

adagio adagio ....   su due piedi ....

bel bello ....   presto presto ....

botte da orbi ....   tosto o tardi ....

da un pezzo ....   zitto zitto ....

HO BEVUTO IL CAFFÈ IN PIEDI
IN UN SORSO TI SONO SCAPPATA

FRASI IDIOMATICHE

(Tradurre nella propria lingua le frasi idiomatiche e formare delle frasi che abbiano un senso compiuto).

1

(Con la parola **acqua**):

acqua in bocca ....

avere l'acqua alla gola ....

fare un buco nell'acqua ....

lavorare sott'acqua ....

essere un pesce fuor d'acqua ....

affogare in un bicchiere d'acqua ....

gettare acqua sul fuoco ....

pestare l'acqua nel mortaio ....

acqua passata non macina piú ....

assomigliarsi come due gocce d'acqua ....

tirare l'acqua al proprio mulino ....

trovarsi in cattive acque ....

(Es.: In questo ambiente non mi trovo bene, *sono come un pesce fuor d'acqua* – Quei gemelli *si assomigliano come due gocce d'acqua* - Ho lavorato inutilmente, tentando tutte le vie, ma *ho fatto un buco nell'acqua* –, ecc. ecc.).

(Con la parola **aria**):

darsi delle arie ....

far castelli in aria ....

stare a pancia all'aria ....

capire quello che è nell'aria ....

campare d'aria ....

camminare col naso in aria ....

mandare all'aria qualcosa ....

esserci qualcosa nell'aria ....

discorsi campati in aria ....

non esserci un filo d'aria ....

aver paura dell'aria ....

prendere una boccata d'aria ....

(Es.: Quel giovane è molto vanitoso, *si dà delle arie* – Devi essere piú preciso, piú concreto: questi sono *discorsi campati in aria* – È un tipo estremamente pauroso, *ha paura anche dell'aria* –, ecc. ecc.).

(Con la parola **asino**):

la bellezza dell'asino ....

il trotto dell'asino ....

il ponte dell'asino ....

strada a schiena d'asino ....

asino rifatto ....

lavare la testa all'asino ....

far l'asino ad una donna ....

raglio d'asino non sale in cielo ....

legar l'asino dove vuole il padrone ....

(Es.: Non sono d'accordo con il direttore, ma bisogna *legar l'asino dove vuole il padrone*! – Questa è una prova difficile, è *il ponte dell'asino* – La ragazza non è bella, ma è giovane; ha *la bellezza dell'asino*, – ecc. ecc.).

4

(Con la parola **bocca**):

rimanere a bocca asciutta ....

restare a bocca aperta ....

levarsi il pane di bocca ....

in bocca al lupo! ....

avere una buona bocca ....

rifarsi la bocca ....

non aprire bocca ....

far sapere qualcosa per bocca di qualcuno ....

avere sempre in bocca qualcuno ....

chiudere la bocca a qualcuno ....

passare di bocca in bocca ....

lasciarsi sfuggire qualcosa di bocca ....

togliere la parola di bocca ....

avere molte bocche da sfamare ....

avere la bocca che puzza di latte ....

venire l'acquolina in bocca ....

(Es.: Alle mie parole rimase sbalordito, *a bocca aperta* – È molto generoso, *si leva il pane di bocca* per tutti –, ecc. ecc.).

(Con la parola **cane**):

fatica da cani ....

roba da cani ....

solo come un cane ....

non trovare un cane ....

essere come cani e gatti ....

voler drizzare le gambe ai cani ....

menare il can per l'aia ....

non destare il cane che dorme ....

fa un freddo cane ....

cane che abbaia non morde ....

(Es.: Sono andato alla riunione, ma *non ho trovato un cane* – Non può continuare cosí, *fa una vita da cani* – Quei due non vanno d'accordo, *sono sempre come cani e gatti* –, ecc. ecc.).

(Con la parola **coda**):

andarsene con la coda tra le gambe ....

il diavolo ci ha messo la coda ....

non avere né capo né coda ....

fare la coda (mettersi in coda) ....

viaggiare nel vagone di coda ....

avere la coda di paglia ....

(Es.: Va tutto male, in quest'affare *il diavolo ci ha messo la coda* – Il tuo discorso *non ha nè capo nè coda* –, ecc. ecc.).

(Con la parola **dente**):

    restare a denti asciutti ....

    promẹttere a denti stretti ....

    non ẹssere pane per i suoi denti ....

    tenere l'ạnima con i denti ....

    scusa tirata con i denti ....

    avere il dente avvelenato contro qualcuno ....

    cavato il dente, cavato il dolore ....

    ẹssere armato fino ai dentí ....

    mostrare i denti ....

    mẹttere qualcosa sotto i denti ....

(Es.: Non può riuscire in questo lavoro diffịcile, *non è pane per i suoi denti* – Non mi pare una giustificazione ragionẹvole, *è una scusa tirata con i denti* –, ecc. ecc.).

(Con la parola **diạvolo**):

    mandare al diạvolo qualcuno ....

    andare al diạvolo ....

    ẹssere come il diạvolo e l'acqua santa ....

    saperne una piú del diạvolo ....

    abitare a casa del diạvolo ....

    fare il diạvolo a quattro ....

    fare l'avvocato del diạvolo ....

    avere un diạvolo per capello ....

    avere il diạvolo in corpo ....

(Es.: Oggi sono nervoso, *ho un diạvolo per capello* – Non m'ha voluto ascoltare, alla fine *l'ho mandato al diạvolo* –, ecc. ecc.).

(Con la parola **gatto**):

lavarsi come il gatto ....

far come la gatta frettolosa ....

prendersi una gatta da pelare ....

vederci al buio come i gatti ....

essere in quattro gatti ....

far la gatta morta ....

avere sette spiriti come i gatti ....

(Es.: Questo ragazzo ha sempre la faccia sporca: *si lava come i gatti* – La festa non è riuscita bene, *c'erano soltanto quattro gatti* –, ecc. ecc.).

(Con la parola **luna**):

dormire all'albergo della luna ....

con questi chiari di luna ....

avere la luna di traverso ....

passare la luna di miele ....

andare secondo la luna ....

avere le lune ....

faccia di luna piena ....

volere la luna ....

vivere nel mondo della luna ....

far vedere la luna nel pozzo ....

(Es.: Non si rende conto della realtà, *vive nel mondo della luna* – Gli sposini *passano la luna di miele* a Venezia –, ecc. ecc.).

(Con la parola **mano**):

tornare a mani vuote ....

cogliere con le mani nel sacco ....

avere le mani bucate ....

lavarsene le mani ....

mettere le mani avanti ....

star con le mani in mano ....

chiedere la mano di una ragazza ....

mettersi una mano sulla coscienza ....

restare con un pugno di mosche in mano ....

portare in palmo di mano ....

far man bassa ....

toccare con mano ....

(**Es.**: Non vuole più sentire parlare di questo argomento, *se ne lava le mani* – È molto scettico, *vuol sempre toccare con mano* per convincersi – La signora spende molto, *ha le mani bucate* –, ecc. ecc.).

12

(Con la parola **naso**):

avere buon naso negli affari ....

giudicare a lume di naso ....

ficcare il naso negli affari degli altri ....

menare qualcuno per il naso ....

non vedere più in là del proprio naso ....

farla sotto il naso ....

restare con un palmo di naso ....

saltar la mosca al naso ....

non mettere il naso fuori dell'uscio ....

(Es.: Giovanni non se n'è neanche accorto; l'amico *gliela ha fatta sotto il naso* – È troppo curioso, *mette sempre il naso negli affari degli altri* –, ecc. ecc.).

13

(Con la parola **occhio**):

avere gli occhi fuori dall'orbita ....

essere come il fumo negli occhi ....

pagare qualche cosa un occhio ....,

perdere il lume degli occhi ....

avere occhio di lince ....

chiudere un occhio ....

guardare con la coda dell'occhio ....

calcolare a occhio e croce ....

costare un occhio della testa ....

non vedere di buon occhio ....

averne fino agli occhi ....

tenere d'occhio ....

non perdere d'occhio ....

strizzare l'occhio ....

leggere negli occhi la paura (la gioia) ....

fare l'occhio di triglia ....

(Es.: *A occhio e croce* saranno due chili di pesce – La signora controlla tutto ciò che fa il ragazzo, *non lo perde d'occhio* un minuto – Questo brillante *mi è costato un occhio della testa* –, ecc. ecc.).

113

14

(Con la parola **pesce**):

 essere sano come un pesce ....

 restare muto come un pesce ....

 nuotare come un pesce ....

 non sapere che pesci pigliare ....

 non essere né carne né pesce ....

 fare il pesce d'aprile ....

(Es.: Mi trovo in una situazione difficile e *non so che pesci pigliare* – Il ragazzo agli esami *rimase muto come un pesce*! –, ecc. ecc.).

15

(Con la parola **piede**):

 avere le ali ai piedi ....

 avere un piede nella fossa ....

 agire su due piedi ....

 cadere in piedi ....

 fare un lavoro con i piedi ....

 puntare i piedi ....

 andare con i piedi di piombo ....

 un discorso che non sta in piedi ....

 tenere il piede in due staffe ....

 andare a piedi ....

 mancare il terreno sotto i piedi ....

 darsi la zappa sui piedi ....

(Es.: È un uomo accorto, in tutte le sue iniziative *va con i piedi di piombo* – Tutto gli va bene, *cade sempre in piedi* – È molto malato, ormai *ha un piede nella fossa* –, ecc. ecc.).

(Con la parola **testa**):

tagliare la testa al toro ....

mettere la testa a partito ....

avere la testa sulle spalle ....

avere la testa fra le nuvole ....

non sapere dove battere la testa ....

essere una testa dura ....

mettersi qualcosa in testa ....

perdere la testa per qualche cosa ....

fare di testa propria ....

tener testa ad un oppositore ....

(Es.: *Si è messo in testa* di partire e nessuno riesce a dissuaderlo – Per quella donna *ha perduto completamente la testa* – È troppo distratto, *ha sempre la testa fra le nuvole* –, ecc. ecc.).

(Con la parola **vento**):

regolarsi secondo il vento che tira ....

gridare ai quattro venti ....

fiutare il vento ....

capire che vento tira ....

essere una canna al vento ....

fuggire come il vento ....

parlare al vento ....

lottare contro i mulini a vento ....

campare di vento ....

andare con il vento in poppa ....

(Es.: È un uomo fortunato, gli affari *gli vanno con il vento in poppa* – Non riesco a farmi capire, con te *è come parlare al vento* –, ecc. ecc.).

ALTRE FRASI IDIOMATICHE COMUNI

Cercare un ago nel pagliaio ....

non passare per l'anticamera del cervello ....

essere alle prime armi ....

non avere né arte, né parte ....

farla in barba a qualcuno ....

servire di barba e capelli ....

mettere il bastone tra le ruote ....

non avere il becco di un quattrino ....

dare un colpo al cerchio ed uno alla botte ....

cadere dalla padella nella brace ....

non cavare un ragno da un buco ....

mettere il carro innanzi ai buoi ....

essere come il cacio sui maccheroni ....

essere alto quanto un soldo di cacio ....

(Es.: Mi ostacola in tutto, *mi mette sempre il bastone tra le ruote* – Bisogna essere comprensivi con lui, *perchè è alle prime armi* –, ecc. ecc.).

stare alle calcagna di qualcuno ....

nascere con la camicia ....

essere sordo come un campana ....

spaccare un capello in quattro ....

salvare capre e cavoli ....

mettere troppa carne al fuoco ....

avere le carte in regola ....

lavare in casa i panni sporchi ....

116   togliere le castagne dal fuoco con le mani degli altri ....

toccare il cielo con il dito ....

tenere il coltello dalla parte del manico ....

parlar di corda in casa dell'impiccato ....

mettere il dito sulla piaga ....

(Es.: Sono tranquillo, *ho tutte le carte in regola* – Cercherò di lasciare tutti soddisfatti, *di salvare capre e cavoli* –, ecc. ecc.).

avere il tatto di un elefante ....

fare di ogni erba un fascio ....

battere il ferro quando è caldo ....

avere una memoria di ferro ....

dare del filo da torcere ....

mangiare la foglia ....

essere una buona forchetta ....

essere la goccia che fa traboccare il vaso ....

prendere un granchio ....

trattare con i guanti gialli ....

fare l'indiano ....

fare questioni di lana caprina ....

non aver peli sulla lingua ....

(Es.: Agiremo tempestivamente; bisogna *battere il ferro quando è caldo* – Ricordo bene tutto, *ho una memoria di ferro* –, ecc. ecc.).

essere di manica larga ....

cavarsela a buon mercato ....

passare la notte in bianco ....

aver paura della propria ombra 117

fare orecchio da mercante ....

prendere la palla al balzo ....

fare il passo piú lungo della gamba ....

camminare sul filo del rasoio ....

essere piú realista del re ....

non sapere a che santo votarsi ....

essere in mezzo ad una strada ....

mettere le carte in tavola ....

darsi alla bella vita ....

(Es.: Sono proprio avvilito, *non so piú a che santo votarmi* – Bisogna essere saggi, *non si deve fare il passo piú lungo della gamba* –, ecc. ecc.).

vita di famiglia

1

UNA FAMIGLIA TRANQUILLA

Questa è una famiglia che vive una vita serena. Sei persone: un piccolo mondo pieno di gioie e di speranze, di soddisfazioni e, forse, anche di ansie segrete.

Il padre, il signor Giuseppe, è impiegato di banca; ha quasi cinquant'anni, ma ne dimostra di meno. È alto, robusto e vigoroso. Qualche volta è impaziente, ma è tanto buono e generoso con la moglie ed i figli. Se si tenesse conto di quello che spesso dice del suo lavoro, si potrebbe pensare che l'ufficio costituisca per lui un grave peso, invece è un lavoratore onesto e scrupoloso.

La signora Anna, sua moglie, è una donna semplice, di una bellezza un po' sfiorita, attivissima in casa. Apparentemente esile e fragile, rivela in ogni circostanza una straordinaria forza di carattere ed ha l'intuito sicuro di chi è abituato da lungo tempo ad organizzare e ad amministrare.

I quattro figli, due femmine e due maschi, sono molto legati tra loro e con i genitori; pur rivelando personalità e caratteri diversi, hanno in comune l'intelligenza, la bontà, la gentilezza dell'animo.

Rosa, che ha vent'anni, ha conseguito con un'ottima votazione il diploma di maestra; Giovanni, diciott'anni, è all'ultimo anno del liceo; il ragazzo, Michele, è studente di scuola media e Carla, la bambina di nove anni, frequenta la quarta elementare.

Una bella famiglia!

La loro vita, dalla mattina alla sera, trascorre con un ritmo costante, apparentemente senza notevoli variazioni, ma gli anni passano, i figli crescono e qualche capello dei genitori comincia a diventare bianco.

La prima ad alzarsi, la mattina, è la signora Anna. La sveglia suona alle sette, ma serve per suo marito che russa ancora quando lei balza giú dal letto e va in cucina per preparare il caffè. Quando ritorna in camera con la tazzina del caffè caldo, il marito, con gli occhi ancora chiusi, cerca con la mano il bottone di quella terribile sveglia, che distrugge con un trillo insopportabile l'ultimo sogno.

« Su, che è tardi! — dice la signora mentre apre la finestra — oggi è una bella giornata. Buon giorno, Giuseppe, alzati subito, perché bisogna lasciare libero il bagno per i ragazzi ».

« Buon giorno, cara, — borbotta il marito sorbendo il caffè — la giornata è bella, ma io ho sonno! ».

« La sera leggi il giornale a letto fino a mezzanotte e la mattina hai sonno! Devi leggere di meno e dormire di piú! ».

« Sveglia piuttosto quei dormiglioni che arrivano tardi a scuola, invece di ripetere sempre le stesse cose! Quando devo leggere il giornale, se non ho mai tempo? ».

Il signor Giuseppe quando si sveglia è sempre di pessimo umore; a poco a poco riprende piena coscienza della realtà e si sente marito e padre felice tra le pareti della sua casa...

La signora gira per tutte le stanze, apre le finestre, porta il caffè ai due figli maggiori. La luce abbagliante penetra in tutta la casa: è un'altra giornata che comincia.

1) **Dialogo con gli allievi:**

1) *Parla delle persone che compongono la tua famiglia.*
2) *Descrivi brevemente la figura di tuo padre.*
3) *Parla di tua madre.*
4) *A che ora suona la sveglia a casa tua?*
5) *Chi si alza per primo la mattina?*
6) *Dormi bene la notte? Che cosa sogni?*
7) *Che cosa prendi appena ti svegli?*
8) *Descrivi la tua camera da letto.*
9) *La mattina, se apri la finestra, entra il sole nella tua camera?*
10) *Che cosa pensi generalmente quando ti svegli?*

2

IL SIGNOR GIUSEPPE

Il signor Giuseppe si alza, sbadiglia, cerca le pantofole che sono sempre sotto il letto («queste maledette pantofole non si trovano mai al posto giusto!») e va in bagno.

La sua tosse si sente in tutta la casa («questa maledetta tosse!»). La moglie, come ogni mattina, ripete da una stanza lontana: «devi fumare di meno!» e lui diventa nervoso, pensando al tabacco che non è più come quello di una volta.

Guardandosi allo specchio, tira fuori la lingua; sporca! («è il fegato che non funziona!»). Si lava rapidamente, perché c'è qualcuno che aspetta il turno per lavarsi, e si rade la barba con il rasoio elettrico («tornerò ad usare il vecchio rasoio di sicurezza; con questo maledetto rasoio mi rovino la pelle e non ho mai uguali i baffi ai due lati!»).

La signora gli dà l'asciugamano pulito e gli fa notare, come ogni mattina, che ha bagnato tutto il pavimento; che sono quasi le otto; che sulla sedia ci sono i pantaloni stirati ed è pronta anche la camicia.

Deve cambiare i calzini; si è ricordata la signora? Ieri è andato all'ufficio con un calzino rotto! Un buco nel tallone! («questi calzini costano poco, ma durano pochissimo!»).

In camera si veste pensando alle «maledette» pratiche dell'ufficio; ai soldi che deve dare a Giovanni per l'autobus; all'aumento dello stipendio che ancora non arriva; al portinaio che non pulisce bene le scale; al tempo che di mattina è bello e di pomeriggio cambia e non si sa mai come vestirsi!

Anche la camicia con il collo stretto! Ed il bottone che si stacca all'ultimo momento! La signora Anna corre con ago e filo e tutto è sistemato in due minuti.

È quasi pronto: la giacca, l'orologio, il portamonete, le chiavi... ed una tazza di latte e caffè con qualche biscotto per la prima colazione.

Mentre i ragazzi mangiano ancora, lui è già fuori. La signora Anna si affaccia alla finestra e lo saluta con la mano mentre lui attraversa la strada per raggiungere la fermata dell'autobus, che lo porterà al centro della città, alla *sua* banca.

123

1) *Ti svegli di buonumore la mattina?*

2) *Ti radi la barba ogni mattina? Che tipo di rasoio adoperi?*

3) *Che cosa pensa il signor Giuseppe mentre si veste?*

4) *Elenca i vari indumenti che di solito indossi.*

5) *Che cosa metti nelle tasche prima di uscire?*

6) *Descrivi la tua prima colazione.*

7) *Com'è la camicia del signor Giuseppe?*

8) *Sei lento o rapido nel vestirti?*

9) *Dove va ogni mattina il signor Giuseppe?*

10) *Marito e moglie si vogliono bene?*

3

I RAGAZZI

Uscito il marito, la signora Anna può dedicarsi completamente ai ragazzi, che sono quasi pronti per andare a scuola. Soltanto Rosa, la figlia maggiore, è ancora a letto; ma lei può alzarsi più tardi, perché ha terminato gli studi da due anni.

Giovanni, Michele e la bambina cercano i libri e raccolgono i quaderni con l'affanno che si ripete regolarmente ogni mattina, perché, con tutti i buoni propositi, la sera vanno a letto senza preparare mai la cartella per la scuola. C'è sempre un libro che manca, sempre un quaderno che non si trova!

Per Carla bisogna preparare anche il panierino con la merenda, che consuma a scuola alle undici: un uovo, i biscottini, le caramelle.

Giovanni è taciturno la mattina; si lava pensando alla filosofia, mangia pensando alla matematica, anzi alla professoressa di matematica, che è terribile con quegli occhiali scuri e col naso pieno di lentiggini! A lui piace la storia, la letteratura, mentre sopporta con rassegnazione il greco ed il latino. Ormai è alle porte dell'università; ha già stabilito che si iscriverà alla facoltà di giurisprudenza, perché vuole

124

fare l'avvocato. Suo padre vuole un figlio medico! In medicina potrà laurearsi Michele! Se ci arriva!

Oggi teme di essere interrogato proprio in matematica, quindi è piú taciturno del solito e dà spintoni al fratello che mentre mangia, con la bocca piena, ripete a memoria una poesia.

Michele gli mette davanti il piede, che lui finge di non vedere: di solito è lui che gli lega i lacci delle scarpe, perché il ragazzo non ha ancora imparato a fare il nodo. Interviene la madre: « È mai possibile, a dodici anni?! ».

La verità è che Michele è pigro e trova comodo farsi legare quei lacci da qualcuno. « Vieni qua — dice la madre — e lascia tranquillo Giovanni; non sai che quest'anno ha gli esami di stato? ».

« Sempre questi esami! ».

Anche la bambina è pronta, col grembiulino bianco ed un bel fiocco rosso sulla testa. Usciranno insieme; la scuola di Michele è accanto a quella di Carla, a due passi da casa, mentre Giovanni deve prendere l'autobus per arrivare al liceo, che è molto distante.

La mamma li accompagna fino al pianerottolo e li segue con lo sguardo nelle scale; poi corre alla finestra e li saluta fino a quando li vede scomparire all'angolo della strada.

3) Dialogo con gli allievi:

1) *Perché Rosa resta ancora a letto quando tutta la famiglia si è già alzata?*
2) *Quali classi frequentano i tre ragazzi?*
3) *Sono molto ordinati questi ragazzi?*
4) *Che cosa porta a scuola la bambina?*
5) *Quali materie studia con piacere Giovanni?*
6) *Quale facoltà sceglierà Giovanni all'università?*
7) *Che tipo è Michele?*
8) *Le scuole dei ragazzi sono molto distanti da casa?*
9) *Parla della tua scuola e dei tuoi studi.*
10) *Descrivi qualche tipo originale di professore che hai avuto a scuola.*

4

LA SIGNORINA ROSA

I ragazzi sono andati a scuola; ora c'è un gran silenzio nella casa. Mentre la signora mette un po' di ordine nella stanza da pranzo, Rosa si alza e compare finalmente con la sua vestaglietta a fiori bianchi e blu. È ancora assonnata.

È molto bella, con i capelli biondi morbidi ed ondulati; ha un viso roseo e fresco, che non ha bisogno di cipria e di rossetto, e due occhi azzurri che esprimono dolcezza calma e serena.

Aiuterà la madre a riordinare le camere da letto; poi la signora si recherà al mercato vicino per fare la spesa e lei andrà al centro per la solita passeggiatina, soprattutto per incontrarsi con il giovanotto che da qualche tempo le fa una corte assidua. Sua madre sa tutto, ma suo padre ha certe idee in questa materia, che è meglio non toccare l'argomento! Porta spesso a casa, la sera, un giovane calvo, impiegato nella stessa banca dove lavora lui, e pensa che sarebbe un ottimo partito per Rosa; ma la ragazza, quando arriva « il pelato », come lo chiama lei, dice che ha mal di testa e si ritira nella sua camera.

Con la madre Rosa si confida e, mentre rifanno i letti, spesso parlano del giovanotto: « tira il lenzuolo... ma ti ha detto qualche cosa? » — « Certo che mi dice sempre qualche cosa! » — « Intendo dire... qualche cosa di serio, che intenzioni ha, che cosa pensa... » — « Ma che cosa vuoi che pensi? È tanto simpatico, gentile... » — « Però non ha trovato ancora un impiego stabile!... Metti bene la coperta... Bisogna pure pensare all'avvenire! » — « Ecco! Voi anziani non sapete parlare di altro!... ».

La signora Anna pensa ai discorsi del marito: « Le ragazze si innamorano! L'amore! Ma che cos'è l'amore senza lo stipendio alla fine del mese?! C'è l'affitto dell'alloggio da pagare, la bolletta della luce e del telefono! Ogni giorno si mangia l'amore? Spaghetti, pane, carne, uova e frutta si comprano con l'amore? ».

Hanno già messo in ordine tutta la casa e sono quasi pronte per uscire. La signora fa la nota di tutto ciò che deve comprare, Rosa dà l'ultimo ritocco alle palpebre e con una matita tira una linea sottile che prolunga le sopracciglia... Lo specchio grande della sua camera la

126

riflette in tutto lo splendore della sua bellezza, come la copertina di un giornale illustrato di moda femminile.

Nelle scale non parlano; una pensa al giovane che l'attende davanti al solito bar, l'altra al marito che ripete spesso: « Vedi? Questo giovane ha in banca un avvenire sicuro, è molto stimato dai superiori... ».

Si salutano sul marciapiedi, davanti al portone; seguono strade diverse, in direzioni opposte... come i loro pensieri!

All'una, dopo mezzogiorno, tutta la famiglia sarà di nuovo riunita attorno alla tavola, davanti ad una minestra fumante.

4) Dialogo con gli allievi:

1) *Descrivi la figura di Rosa.*
2) *Di che cosa parlano la madre e la figlia, mentre mettono in ordine la casa?*
3) *Che cosa pensi dell'amore di Rosa?*
4) *Quali sono le considerazioni del padre?*
5) *Qual è la posizione della madre davanti a ciò che pensa il marito e ciò che pensa la figlia?*
6) *Che tipo è l'impiegato di banca amico del padre?*
7) *Quali sono i problemi di Rosa?*
8) *Dove vanno la madre e la figlia?*
9) *Ritieni che per vivere basti soltanto l'amore?*
10) *Puoi parlare di una tua esperienza simile?*

5

LA SIGNORA AL MERCATO

Sono quasi le undici! Non ha tempo da perdere la signora Anna. Ma che vita affannosa! Senza l'aiuto di una donna di servizio in casa, il lavoro delle casalinghe è diventato veramente pesante, anche se ci sono gli elettrodomestici. Ma chi si può permettere il lusso di tenere 127 una cameriera? Due volte alla settimana viene una donna per lavare e stirare tutta la biancheria e per pulire i pavimenti; ma anche con quell'aiuto non si finisce mai di lavorare! I ragazzi sono disordinati, buttano qua e là pigiama e calze; ci sono sempre pezzetti di carta e molliche di pane dappertutto!

Tra le bancarelle del mercato, il problema di ogni giorno: «Che cosa si mangia oggi? Ieri bollito, l'altro giorno bistecche... oggi pesce... Ma con quei ragazzi che fanno mille smorfie, perché trovano che i pesci hanno le spine?! Allora pollo! Ma i polli di oggi non sanno di niente, sono di allevamento e... Rosa, dei polli, mangia soltanto la pelle! Che famiglia! Viene voglia di dare a tutti ogni giorno uova sode e patate fritte!... Bene! Fettine di carne per una buona scaloppina, con un contorno abbondante di patate in umido... Con questi prezzi non ci si può accostare più dal macellaio! D'altro canto, bisogna pure mangiare per sostenersi, anche se i soldi bastano appena per arrivare alla fine del mese!

I formaggi ed i salumi è più conveniente comprarli in quel negozio che pratica prezzi più bassi degli altri; ma che coda lunga di gente!... «Non devo dimenticare il burro...».

Finalmente dal fruttivendolo! «Carciofi, finocchi, piselli, un poco di fagiolini, se sono teneri; arance e mele. Qualche lattuga per l'insalata, cipolle e patate, due o tre carote ed il prezzemolo...».

Anche la frutta è diventata carissima! «Mi raccomando, ieri ho trovato due mele marce! Qui tutto sembra ottimo, poi si arriva a casa e si trova la frutta marcia!».

«Signora, — suggerisce il fruttivendolo premuroso — ci sono le fragole». «Le fragole?! A quel prezzo! Noi non mangiamo primizie; siamo sei persone!».

«Le mando tutto a casa con il ragazzo».

Il fruttivendolo resta a guardare la signora Anna, assorta nei suoi pensieri: «Sono sei persone e non mangiano fragole! Anche lui ha cinque figli, e con sua moglie, sono sette! Ma quando arriva il periodo delle fragole, le mangiano ogni giorno!».

5) Dialogo con gli allievi:

1) *Chi fa la spesa a casa tua?*
2) *Vai qualche volta al mercato?*
3) *Descrivi i principali elettrodomestici di casa tua.*
4) *Tra carne e pesce, che cosa preferisci?*
5) *Nella tua famiglia avete gusti differenti?*
6) *Parla di vari tipi di formaggi e di salumi.*
7) *Qual è al mercato, la bancarella che ti piace di piú?*
8) *Fai una buona scelta, quando compri la frutta?*
9) *Qual è la verdura che ti piace di piú?*
10) *Parla dei prezzi dei vari generi alimentari.*

6

TUTTI A TAVOLA

È l'una in punto e tutti sono già rientrati per il pranzo (Rosa dice che, secondo il galateo, questo pasto si chiama « colazione »; il « pranzo » è quello della sera. Ogni volta c'è una discussione che rischia di degenerare, fino a quando suo padre conclude con voce severa: « E la *cena* allora come la chiami?! »).

Il signor Giuseppe è un po' nervoso; deve mangiare in fretta, per ritornare subito all'ufficio (« il lavoro in banca è un lavoro da muli! »).

Rosa mangia poco; non sopporta gli spaghetti, che fanno ingrassare! Sgrida spesso la bambina, che si macchia il vestito con il sugo. Michele è piú silenzioso del solito; ha finto di lavarsi le mani ed è venuto a tavola mettendosi le dita dentro il naso. Non ci vuole molto per capire che ha preso un brutto voto a scuola; però mangia come un lupo.

La signora va e viene dalla cucina ed ascolta con interesse tutto ciò che dice Giovanni sul professore di filosofia, sugli esami difficili che si avvicinano, sulla trigonometria (« ma perché devono studiare tutte queste cose complicate? »). Giovanni è ormai quasi all'università! È l'orgoglio di tutta la famiglia, anche se, a causa dello studio intenso e di

quei brufolini che gli riempiono la faccia, negli ultimi tempi si è imbrut-
tito un poco.

« Che carne dura! — brontola il signor Giuseppe — Devi cambiare
macellaio; con tanti soldi che si spendono!... ». Rivolgendosi a Rosa:
« E tu perché non mangi? Che cosa sogni, sempre imbambolata? ».

Interviene la bambina: « Rosa è arrabbiata, perché io ho toccato
le violette, che le ha dato l'amico suo e lei tiene sul comodino; dice che
quei fiori non si toccano! ». Poi continua: « Sai, papà? La maestra vuole
i soldi per la Croce Rossa e per gli alluvionati; dice che noi, figlie di
impiegati di banca, dobbiamo portare molti soldi! ».

« Ma in questa scuola non fanno altro che chiedere soldi?! Devo
venire io a parlare con la tua maestra, che mi rovina sempre la digestione! ».

« Pazienza, caro, — dice la signora — daremo qualcosa; la bambina
non può fare brutta figura davanti alle compagne! ».

Michele intanto fa segni con la mano alla madre. « Anche a te
hanno chiesto soldi a scuola? » gli grida il signor Giuseppe. « No, — dice
il ragazzo — io volevo soltanto sapere se posso mangiare le patate che
Rosa ha lasciato nel piatto! ».

Quando si arriva alla frutta, Michele adocchia la mela piú bella e
piú grossa e dice: «Questa la porto a scuola come modello per dise-
gnarla! ». Ogni pomeriggio, sempre con la stessa scusa, il ragazzo, chiuso
dentro il bagno, mangia la migliore frutta della giornata!

6) Dialogo con gli allievi:

1) *A che ora vi mettete a tavola a casa vostra?*

2) *Qual è, generalmente, l'atmosfera durante i pasti?*

3) *Quante pietanze mangiate di solito? Quali?*

4) *Di che cosa parlate mentre mangiate?*

5) *Chi serve a tavola a casa vostra?*

6) *Durante i pasti si riunisce tutta la famiglia?*

7) *Bevete vino, birra, o semplicemente acqua?*

8) *Mangi sempre di buon appetito?*

9) *C'è qualche cosa che non hai mangiato mai?*

130 10) *Tu mangi per vivere, o vivi per mangiare?*

7
POMERIGGIO SERENO

Finalmente un po' di pace anche per la signora Anna! Ha sistemato tutto in cucina e, seduta in una comoda poltrona del soggiorno, riprende il suo lavoro a maglia. Prepara un maglione di lana per Michele, che cresce a vista d'occhio ed è sempre con i buchi nei gomiti.

Rosa dipinge ad acquerello nella sua camera e bada alla bambina, che deve scrivere due pagine di quaderno sul tema: « Con mio nonno al giardino pubblico » (« Almeno due pagine » ha detto la maestra!).

« Ma io non sono mai stata al giardino pubblico con il nonno! ». « E tu inventa qualche cosa... » — « Ora scrivo che il nonno non vuole comprarmi le noccioline, perché mi fanno male al pancino; lui dice sempre così! » — « Scrivi e lasciami dipingere in pace! ».

Rosa voleva frequentare l'accademia di belle arti, invece i genitori avevano deciso per il diploma di maestra. A che cosa le serve questo diploma? Con tante migliaia di diplomati, per insegnare, dovrebbe trasferirsi in un paesello sperduto tra le montagne! Così dipinge e sogna! Ha dipinto tanti bei paesaggi, ma non può sopportare che suo padre mostri i suoi quadretti a quell'impiegato di banca senza capelli, commentando sempre: « È una ragazza che ha sensibilità artistica! ».

Giovanni studia con un compagno nella sala da pranzo, con la porta chiusa a chiave dall'interno per non essere disturbato da Michele, il quale ha sempre qualcosa da chiedere sulle parole dell'esercizio di latino. Il pigrone non vuole cercare le parole nel dizionario (« questo libro così grosso, io lo odio! »).

La signora Anna non ha studiato latino, Rosa dipinge, Giovanni lo tratta male, quindi non gli resta che telefonare a qualche compagno. Passa più tempo al telefono nell'ingresso, che davanti ai libri nella sua camera (« Pronto! Sei tu, Sandro? Sto facendo i compiti; come traduci la frase ,, Meglio Cesare in Gallia? " ...Ah, la matematica? Allora mi telefoni più tardi, così mi dai anche il risultato del problema?... Sí, grazie, ciao!... Senti, Sandro, dobbiamo parlare ancora dell'incontro di calcio di domenica prossima; io posso giocare all'attacco, all'ala destra... Non mi piace fare il terzino! Ciao, a più tardi... »).

Sull'imbrunire si accendono le luci nelle varie stanze e la signora Anna già prepara in cucina per la cena. Tra poco arriverà suo marito stanco e nervoso, come tutte le sere.

1) *Come trascorri di solito il pomeriggio?*

2) *Che cosa fa Rosa mentre i fratelli studiano?*

3) *Come occupa il tempo libero la signora Anna?*

4) *Descrivi il pomeriggio di Michele.*

5) *C'è qualche bambina a casa tua? Che cosa fa durante la giornata?*

6) *Tra i componenti di questa famiglia, qual è il tipo che ti piace di più?*

7) *Sono ben definiti i vari caratteri?*

8) *Descrivi il tipo più caratteristico della tua famiglia.*

9) *Della giornata, preferisci la mattina o il pomeriggio?*

10) *Descrivi il momento in cui, anche per le vie della città, si accendono le prime luci.*

8

FINE DI UNA GIORNATA

La tavola è sparecchiata; in cucina una enorme pila di piatti attende di essere sistemata dentro la lavastoviglie. Alla televisione c'è uno spettacolo di musica leggera, ma non tutti l'ascoltano.

Il signor Giuseppe sfoglia distrattamente il giornale, mentre i ragazzi aspettano le notizie sportive; Rosa raccoglie i tovaglioli e piega la tovaglia, la bambina casca dal sonno.

La signora Anna chiede al marito se nel giornale c'è la conferma dello sciopero dei conducenti di autobus. « Certamente ci sarà lo sciopero... e presto ci sarà anche quello dei bancari! ». Michele ha sentito dire a scuola che sciopereranno anche i professori: « Bello! Qualche giorno di vacanza! ». E si stropiccia le mani!

« Questo giornale non dice proprio niente! Tutta cronaca nera! Hanno svaligiato un negozio di pellicce... Due persone investite da un motociclista mentre chiacchierano sul marciapiedi!... Non si può stare tranquilli neanche sul marciapiedi! Queste motociclette, io le distruggerei tutte! ». Giovanni ascolta in silenzio; come regalo, dopo gli esami, desidererebbe la motocicletta!

132

Rosa ha aperto il balcone e si è affacciata per guardare il cielo stellato. Ogni sera resta incantata davanti a quello spettacolo, come se aspettasse dalla volta celeste un messaggio segreto! Pensa: « Di giorno il sole, di notte la luna e tante stelle sparse in un'immensità senza limiti... È un mistero! ».

« Rosa, il bicarbonato! — grida suo padre — E chiudi quel balcone; non vedi che entrano le zanzare?! ». Già!... Le zanzare... il bicarbonato! Suo padre soffre di acidità! Prima di chiudere dà un ultimo sguardo alla stella piú lucente, con un sospiro: « Devi scusare... arrivederci a domani sera! ».

« Se non si trova il bicarbonato, mi dai un digestivo... Non riesco a digerire questi fritti! ».

C'è ancora un po' di movimento nella casa, ma dura poco. La bambina già dorme nel suo lettino, con un dito in bocca; i ragazzi si sono ritirati nella loro camera; la signora Anna cammina in punta di piedi per non disturbare nessuno.

Rosa si sveste pensando alle stelle, mentre il signor Giuseppe carica la sveglia e parla da solo, a bassa voce: « Io non dovrei mangiare mai cibi fritti... E voglio vedere quando si decideranno a darmi questa maledetta promozione a capufficio! ».

Le luci ormai sono tutte spente; qualcuno già russa. Domani sarà un altro giorno!

8) **Dialogo con gli allievi:**

1) *Descrivi una cena di casa tua.*
2) *Avete l'abitudine di passare le serate con gli amici?*
3) *Commentate di solito le notizie dei giornali?*
4) *Ti piace la motocicletta? La ritieni pericolosa?*
5) *Che cosa fa Rosa ogni sera dopo cena?*
6) *Quali sono le considerazioni che fa il signor Giuseppe alla fine di una giornata?*
7) *Ti capita qualche volta di dover lavorare anche di sera?*
8) *Ritieni di avere tutti gli elementi necessari per esprimere un giudizio su questa famiglia?*
9) *Parla della vita notturna della tua città.*
10) *Rifletti qualche volta sul mistero del cielo stellato?*

133

LA GIORNATA DI UNA COMUNE FAMIGLIA

(descrivere le illustrazioni)

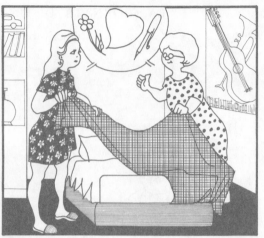

136

137

PICCOLA CITTA'

Questa è la piazza centrale della piccola città, con la chiesa ed il municipio, il grande bar ed il ristorante, i negozi con ogni genere di articoli. C'è molto movimento all'ufficio postale e all'agenzia della banca; gente che va, gente che viene, sempre in fretta, come angustiata da mille pensieri. Ogni persona è un piccolo mondo, con una serie di problemi personali e di famiglia, ma, quando si arriva in piazza, ci si sente quasi confortati da una tacita intesa di fratellanza umana.

Quasi tutti si conoscono e spesso si fermano a chiacchierare, o si scambiano semplicemente un saluto. Non è come nella grande città, dove si cammina per le strade in mezzo ad una folla di persone sconosciute ed è raro incontrare amici e conoscenti.

Non ci sono misteri in questa piccola città; anche i più comuni avvenimenti della periferia arrivano in piazza con la velocità del suono: « quel giovane parte per il servizio militare; quella ragazza finalmente si è fidanzata; il vecchio signore ha licenziato la cameriera; questa notte è nato un bambino in casa del segretario comunale, dopo dieci anni di matrimonio! ».

C'è anche chi non ha nulla da fare e passa il tempo passeggiando al sole o scambiando quattro chiacchiere con il prete davanti alla porta della chiesa. Se poi vuole qualche notizia sullo stato di salute dei concittadini va in farmacia e qualsiasi curiosità è pienamente soddisfatta. Non avendo preoccupazioni per i propri familiari, si può condividere la sofferenza di qualche persona che viene a prendere le medicine per un ammalato grave. È un modo come un altro per arrivare all'ora del pasto!

Ogni momento della giornata ha un suo particolare suono, quasi una voce distinta, un rumore ben definito. Di mattina le campane delle chiese, poi le macchine di un'officina, poi ancora il canto di un mura- 141 tore sull'impalcatura di una casa in costruzione e il rombo del motore di un'automobile...

L'atmosfera della piazza cambia completamente quando, alla fine delle lezioni, escono correndo dalla scuola gli studenti. Allora anche le strade si popolano, le case si animano. È come una ventata di vita che serpeggia in ogni parte. La città acquista il tono caratteristico di ogni pomeriggio ed appare dominata dai ragazzi, che danno libero sfogo alla loro irruenza nei giochi di ogni genere.

La città ha un sussulto; non sembra di vivere nello stesso ambiente della mattina. Questa atmosfera dura fino a quando calano le tenebre e si accendono le luci.

C'è ancora un momento di vita intensa, si fanno gli ultimi acquisti nei negozi di generi alimentari; subito dopo un grande silenzio avvolge tutte le cose.

In un angolo della piazza, sotto le stelle, resta soltanto la voce di una fontana, che parla sommessamente con i fantasmi della notte.

IL SINDACO

Il sindaco di un paese o di una piccola città è come il padre di tutti. È l'amministratore della comunità, ma è anche l'uomo al quale si ricorre in ogni circostanza per la soluzione di tanti problemi; a lui si confidano tutti i segreti e da lui si attende ogni genere di aiuti.

Quando non è al municipio, passeggia con gli amici nella piazza e spesso il segretario comunale lo fa cercare dal fattorino, perché c'è una pratica urgente o un documento da firmare. Se non si trova in piazza, è facile trovarlo dal barbiere o nella farmacia ed è sempre gentile, sempre pronto ad ascoltare. È stimato ed amato da tutti e gode di un prestigio eccezionale. Chiunque si avvicina a lui dimostra rispetto e riverenza, perché, pur essendo buono e socievole, fa sentire sempre l'autorità della sua importante carica.

A tutti spiega le difficoltà che incontra per risolvere il problema
142 delle fognature e dell'acqua, che spesso manca nelle case e nelle fon-

tane pubbliche; a tutti parla dei cavi ad alta tensione che spesso non portano la corrente elettrica per illuminare le strade... E tutti sono soddisfatti, perché è vero che non ci sono le fognature in tutta la cittadina, non sempre c'è l'acqua e spesso manca la luce elettrica, ma tutti sanno che il signor sindaco in data tale, con vibrante protesta, ha scritto una lettera al Prefetto con molti bolli e numero di protocollo...

Questo è il sindaco che ci vuole! Il suo predecessore era un debole! Aveva fatto arrivare l'acqua dopo tanti anni di attesa, ma non parlava mai di vibranti proteste indirizzate al Prefetto!

E com'è bello assistere ad una seduta del Consiglio Comunale! Il sindaco si impone con energia su tutti i consiglieri ed alla fine riesce a dare ragione a tutti! Insomma una forte personalità, capace di far valere sempre il suo punto di vista e di riconoscere nello stesso tempo le ragioni degli altri!

Soltanto a casa non riesce ad imporre la sua autorità alla moglie! Ma questo è un altro discorso, perché la signora Pia (ma come fa a chiamarsi « Pia » una donna così!) è una donna che sembra un generale comandante di un'armata.

A casa sua il sindaco è sempre docile e mansueto, come un coniglio ferito. Preferisce non parlare mai per non provocare le escandescenze della moglie. Anche se tenta di fare qualche semplice osservazione, si sente rispondere con un tono che non ammette repliche: «Tu stai zitto, sei un cretino! ».

Se vuole parlare, va in piazza; se vuole comandare, sale al municipio, dove ci sono gli impiegati che lo rispettano ed il fattorino gli fa sempre l'inchino ed attende premuroso gli ordini, seduto dietro la porta del suo ufficio.

IL FARMACISTA

Ha gli occhiali spessi un dito, non si è mai visto il colore dei suoi occhi. È magro ed asciutto come un chiodo, con un naso enorme che gli scende sulle labbra e due orecchie grandi e sproporzionate per una faccia fatta di sole ossa.

Ride sempre, anche quando gli sta davanti la povera donna che viene a prendere le medicine per un ammalato grave, che da qualche giorno è tra la vita e la morte. Certamente non ride per gioia; soltanto per abitudine. Ride! Forse è questa la forma migliore per rispondere alle fantasie della sua immaginazione; forse dimostra cosí indifferenza per tutto ciò che la vita gli aveva promesso e poi gli ha negato

Vive solo e, quando la farmacia è chiusa, si ritira nella sua vecchia casa; nessuno lo vede piú fino alla riapertura della farmacia. Tutti dicono che legge libri misteriosi e che parla con gli spiriti! La verità è che è molto timido e, quando gli manca il bancone della farmacia, che costituisce per lui un solido sostegno, e non si sente dietro le spalle la vetrina piena di barattoli e scatole di medicinali, gli pare di vivere nel vuoto! In questi momenti, se ride, assume un aspetto molto strano.

Legge le ricette senza guardarle; almeno pare che non le guardi, ma non sbaglia mai, anche se nella ricetta, piú che parole chiare, ci sono dei semplici scarabocchi del medico. È proprio vero che la calligrafia dei medici la capiscono soltanto i farmacisti! Pare che tra medici e farmacisti ci sia un'intesa confidenziale e segreta, in cui è difficile penetrare!

Uno dopo l'altro i clienti posano sul bancone la ricetta ed il farmacista, mentre meccanicamente avvolge nella carta una boccetta o una scatola, ride e commenta a bassa voce: « Deve mangiare di meno!», « Ahi!, anche a lui i dolori reumatici?!», « Ad una certa età bisogna andarci piano!», « Sempre supposte, sempre iniezioni, pillole e compresse... ed il mortaio è rimasto qui come elemento decorativo!».

E ride! Non riesce a capire come la gente abbia tanta fiducia nelle medicine! Il vero farmacista era quello di una volta, quando si pestava nel mortaio e si preparavano le medicine piú semplici e piú efficaci. Oggi anche un bambino può fare il farmacista! Basta conoscere le lettere dell'alfabeto, perché tutti i medicinali sono disposti nelle vetrine in ordine alfabetico. Resterebbe il problema di decifrare la calligrafia dei medici, ma basterebbe obbligarli a scrivere le ricette a macchina!

E forse ride per questo: la gente non sa quante pillole inutili compra ed il farmacista è ridotto un semplice commesso di negozio!

144

IL CALZOLAIO

Ha ancora la sua bottega in una stanzetta buia nella piccola strada vicino alla piazza, ma non lavora piú tutta la giornata come una volta. Un tempo cominciava all'alba e terminava la sera alla luce di un lume sistemato tra le forme e le tenaglie del deschetto. Allora metteva chiodi e tirava lo spago fischiettando ed alla fine guardava soddisfatto le belle scarpe che uscivano dalle sue mani incallite. Erano altri tempi!

Oggi per un paio di scarpe nuove non si va piú dal calzolaio, ma nel negozio della piazza, dove c'è una grande vetrina ed i commessi conoscono soltanto i numeri dei piedi dei clienti! Sono tutte scarpe fatte a macchina, mentre prima si lavorava con lesina, tenaglie e martello ed ogni scarpa era un piccolo capolavoro che usciva dalle mani dell'artigiano, che conosceva i difetti dei piedi di tutti i cittadini della piccola città.

Lo chiamano ancora « il calzolaio », ma gli portano soltanto scarpe vecchie da risuolare o tacchi da riparare; soltanto tacchi e suole bucate!

Qualcuno addirittura arriva, si toglie la scarpa e dice: « Per piacere, due chiodini; si è aperta la suola e passa l'acqua! » Una volta. l'acqua non passava! Erano scarpe cucite a mano e duravano anni ed anni!

Anche le figlie lo hanno tradito! Preferiscono le scarpe del negozio, i modelli moderni con le fibbie ed i tacchi alti e tozzi. Dicono che bisogna seguire la moda e che, tra l'altro, quelle scarpe costano di meno! A lui che cosa resta da fare? Le piccole riparazioni!

Però le sue scarpe e quelle del farmacista le fa ancora lui, come si facevano un tempo. Gli resta questa consolazione ed un solo vero cliente, che ha i piedi pieni di calli.

Quando parla con il farmacista si trova ancora a suo completo agio ed i loro discorsi sulle scape assumono sempre un tono di congiura. Sono completamente d'accordo! « Io farei a pezzi quella vetrina e quelle scarpe le butterei nell'immondizia! ». Ed il farmacista: « Io concepisco la scarpa come l'opera di un artista che allevia le sofferenze umane. Soltanto una volta provai ad acquistare un paio di scarpe in quel negozio, ma fu tale la sofferenza che dovetti rinunciare a camminare! ».

Questi, per il nostro calzolaio, sono discorsi giudiziosi; ma non c'è nulla da fare! Soltanto mezze suole da sostituire e sopratacchi da rifare! 145

Quando passa davanti a quella vetrina si sente ribollire il sangue e, quando passeggia in piazza, guarda i piedi di tutti. Se vede qualcuno con le scarpe nuove, il suo sguardo sale lentamente dai piedi fino alla faccia e, senza parlare, fissa l'uomo pensando: «E va bene! Hai le scarpe nuove, ma ti aspetto entro poco tempo! Quelle scarpe sono fatte a macchina ed avranno presto bisogno di due chiodini!».

IL BARBIERE

C'è ancora qualcuno che per farsi radere la barba va dal barbiere, ma si tratta di casi isolati, di persone che hanno la barba ispida e la pelle delicata, oppure non riescono a regolare bene la linea dei baffi con un rasoio elettrico. Ormai ognuno va dal barbiere soltanto per il taglio dei capelli. Ma anche per i capelli il lavoro dei barbieri comincia ad essere limitato, perché con le chiome lunghe che si portano oggi (il mondo è pieno di «capelloni»), di tanto in tanto con un paio di forbici si tagliano soltanto le punte!

Quella che non è cambiata è l'abitudine di trovare dal barbiere la persona con la quale scambiare qualche parola. Si possono avere così le ultime notizie sugli avvenimenti della giornata. Il barbiere conosce tutti e sa tutto! Raccoglie e smista le notizie secondo le esigenze di ogni cliente.

Se si vuole sapere a che punto è l'appalto che il municipio deve dare per la costruzione dell'edificio scolastico, come è finita l'avventura della donna di cui tutti parlano, perché non si è concluso il matrimonio della figlia del sindaco... si va dal barbiere! Se si vuole sapere che cosa sta organizzando il «comitato di assistenza» per risolvere il problema dei bisognosi, quanto guadagna il segretario comunale, quanto ha perduto al gioco il più ricco proprietario della zona e se è vero che l'avvocato si tinge i capelli... basta andare dal barbiere!

È difficile che le notizie siano vaghe o errate! Mentre lavora, il barbiere parla con il cliente guardandolo nel grande specchio della parete; tutto ciò che dice, lo dice «in confidenza» tra un colpo di forbici

146

e l'altro. Ogni cliente è buono per l'aggiornamento delle notizie piú recenti e, mentre pare che dia soltanto delle informazioni, con domande precise arricchisce la riserva delle sue notizie per trasmetterle al cliente successivo.

Quando, alla fine di ogni taglio di capelli, soddisfatto dice al cliente: «servito!», non si sa se intende dire che ha completato il suo servizio, o se si ritiene lui stesso «servito» per le notizie che ha ricevute!

E passa svelto ad un altro, che ha atteso leggendo un giornale, dicendogli: «Prego, si accomodi!», con l'aria di dire: «Vieni sotto, ora mi servi tu che sai tutto sullo scandalo della banca della settimana scorsa!».

Che bisogno c'è di leggere i giornali? Infatti i giornali si guardano distrattamente, soprattutto per dare un'occhiata a qualche bella fotografia o per soffermarsi su qualche vignetta che illustra una barzelletta.

Per il resto c'è il barbiere, sempre attivo, sempre informato, sempre aggiornato!

I DUE INNAMORATI

Si erano conosciuti a scuola quando ancora non avevano quindici anni, poi lei era partita per continuare gli studi in una città lontana e lui aveva avuto la sensazione di perdere qualcosa di molto importante, di restare solo con la sua malinconia.

Aveva sempre parlato con lei di tante cose, aveva trovato tutte le scuse per incontrarla e l'accompagnava a casa uscendo da scuola con i libri sotto il braccio, dicendole che doveva percorrere quella stessa strada perché andava a trovare una vecchia zia. Quando la vedeva a distanza, dopo averla aspettata a lungo all'angolo di una strada, si sentiva battere forte il cuore e si proponeva di dirle «Ti voglio bene», ma nel momento in cui lei era vicina finiva col dire soltanto: «Anche tu da queste parti? Come va a scuola?». Lei diventava rossa in viso, diceva che aveva molto da studiare e lui guardava per terra, non sapendo piú che cosa dire!

Dopo la sua partenza si sentí solo con un grande segreto e sorprendente fu lo stupore quando i suoi compagni gli dissero di finirla di fare il « santo », dopo aver fatto chissà che cosa con quella ragazza che lo aveva abbandonato e che certamente in città aveva già trovato qualcuno meno stupido di lui. Si avventò contro tutti e fu violento con calci e pugni, come non era stato mai! E continuò a pensare sempre a lei con dolcezza, ma anche con rabbia per non averle detto che le voleva bene.

Ma un giorno lei tornò e si incontrarono per caso, sull'imbrunire, davanti alla vetrina di un negozio. Fu un colpo per entrambi! Si strinsero la mano e si guardarono negli occhi: senza parlare si dissero subito tutto ciò che avevano pensato durante la lontananza; poi cominciarono: « Ti ricordi?... ».

Tenendosi per mano, camminarono a lungo per strade solitarie e, piú che le parole, furono i lunghi silenzi che li tennero sospesi, come fuori dal mondo!

Arrivarono in un piccolo giardino pubblico e, seduti su una panchetta, parlarono dei loro sentimenti e dei loro ricordi con semplicità e con commozione, come se avessero sempre parlato di queste cose e riprendessero un normale discorso interrotto il giorno precedente. « Ti ho avuta sempre davanti agli occhi... — diceva lui — Ho sempre vivo il ricordo della nostra prima gita scolastica; mi venisti incontro di corsa in un campo, ansante... Avevi in mano una bella rosa rossa: la tua faccia e quella rosa... ».

« Io ho potuto capire — rispondeva lei — il gran bene che ti voglio dalla pena che provavo, lontana, in quella città, quando tra gente sconosciuta non vedevo te che mi attendevi all'angolo di una strada... ».

E concludevano ogni ricordo con « com'è bello volersi bene! ».

La chiamavano « zia Carolina », ma non era zia di nessuno, perché era una donna che viveva sola e non aveva parenti. Piena di premure per tutti, affettuosa e gentile, era sempre pronta ad aiutare chi aveva bisogno, anche se viveva con i prodotti di un piccolo campo che possedeva alle porte del paese. La sua era una vita di miseria, ma non lo lasciava capire a nessuno, perché era sempre allegra ed era capace di dividere un tozzo di pane con chi ne aveva meno di lei.

Considerava tutti gli altri come parte integrante di una immaginaria grande famiglia, quindi era la prima a restare sorpresa quando qualcuno le diceva: « Povera zia Carolina! Ma come fa a vivere cosí sola? ». Sola?! Ma lei aveva tutti gli altri... Specialmente i giovani del paese, che considerava tutti « figli » suoi, che amava come veri figli. Di essi soprattuto si preoccupava, combinando matrimoni!

Ecco, era questa la sua attività preferita, anzi l'unica attività in un ambiente e in un'epoca in cui si ignorava l'esistenza di agenzie matrimoniali. Non pretendeva compensi, neanche riconoscenza! Per lei era una missione quella di valutare condizioni e caratteri delle persone che, senza il suo intervento, non avrebbero avuto modo di incontrarsi e di sposarsi.

Oggi si riderebbe di tale attività, perché i tempi sono cambiati ed i giovani, con molta disinvoltura, si frequentano, si innamorano e si sposano. Ma un tempo, nei paesi e nelle piccole città, c'era sempre una « zia Carolina »! Epoca remota, quando le donne ricamavano in casa ed attendevano...

Tutto il giorno zia Carolina era in giro per le strade e si fermava a chiacchierare con discorsi che apparentemente erano innocenti e quasi mai toccavano l'argomento del matrimonio. Lei studiava la ragazza o il giovane e cercava di capire anche l'atteggiamento dei familiari; poi continuava a tessere la trama della sua tela ed alla fine, dopo mesi e mesi di lavoro riservato e sottile, si arrivava al fidanzamento e al matrimonio.

Le madri delle ragazze, quando la vedevano comparire, le facevano tante gentilezze, perché sapevano che qualcosa maturava per la sistemazione delle figlie; ma i genitori dei giovani l'accoglievano generalmente con diffidenza, perché veniva a turbare la tranquillità dei figli!

E zia Carolina passava da una casa all'altra, seminando speranze e qualche volta creando delusioni!

Quando morí, tra le sue misere cose trovarono un quaderno con elenchi di nomi e semplici noticine: « carattere buono, ma debole »; « è rozzo, ci vuole una donna paziente e comprensiva »; « ragazza vivace, ma dopo la prima settimana di matrimonio quattro scudisciate la sistemeranno »; « è vanitosa e poco seria: corda bagnata! »; « non avrà figli, ma si sposerà pure lui! ».

Ora di lei esiste soltanto il ricordo e non è difficile sentire ancora, a distanza di tempo, in qualche battibecco tra marito e moglie: « Maledetta tu e zia Carolina! »; « zia Carolina?! Mi ha rovinato l'esistenza! ».

Ma c'è pure qualcuno che accarezza i nipotini e guarda la moglie vecchia sospirando: « Vedi, se non ci fosse stata zia Carolina, forse oggi non avremmo questi tesori di bimbi! ».

LA VIA STRETTA

È la via piú stretta della piccola città, ma è una delle piú frequentate perché in essa abitano gli artigiani ed è piena di negozietti, dove è facile trovare tutto.

La chiamano « la viuzza »; se serve un chiodo, un bottone, una fibbia, un interruttore, uno spazzolino da denti, un tegamino o un bicchiere... si va alla « viuzza » e si è certi di trovare sempre ciò che si cerca.

Passando, attraverso le porte aperte, si può curiosare dentro le case; in alto i piccoli balconi quasi si toccano. Le donne lavorano davanti alle porte, i bambini giocano nella strada e la fontanella è sempre affollata di gente che attende il turno per riempire brocche, secchi e pentole.

Non esistono misteri in questa strada; ognuno sa che cosa accade nella casa accanto o nella casa di fronte e si parla ad alta voce con i vicini dei fatti della giornata, delle gioie e delle miserie di ogni famiglia.

Qualcuno ha la radio, che resta accesa tutto il giorno a pieno volume e, dove i suoni arrivano un po' smorzati, c'è sempre qualche ragazza che canta l'ultima canzone di successo mentre lava i panni o risciacqua i piatti. Sono canzoni appassionate che parlano d'amore, di baci, di cielo sereno e di mare blu, di tante cose belle... « Se sapessi quanto ti amo! », « Il tuo primo bacio al chiaro di luna... », « Tra i prati in fiore è nato il nostro amore », « Muoio di gelosia per te! ». Voci che accarezzano sogni, che si levano nell'aria perché non possono essere contenuti nelle modeste casette della piccola strada!

Il falegname ha anche il televisore e, quando c'è uno spettacolo popolare, i vicini accorrono per passare una serata che fa dimenticare i guai della giornata. Cosí passa il tempo! E pare che ci sia una sola grande famiglia in questa strada; infatti li chiamano « quelli della viuzza ».

La gioia o la disgrazia di una famiglia diventano spesso gioia e disgrazia di tutti, anche perché, quando si è in molti a godere o a soffrire, pare che la gioia si dilati e che la sofferenza si affievolisca fino a scomparire!

Una sera che il muratore tornò a casa ubriaco e voleva battere la moglie, l'intervento dei vicini salvò la povera donna ed il giorno dopo il muratore, mortificato, ringraziò tutti coloro che la sera precedente lo avevano calmato. E quando si sposò la figlia dell'elettricista, fu festa per tutti; Rosa era nata in quella « viuzza », tutti l'avevano vista crescere, bella e prosperosa, ed erano lieti che, sposandosi, andasse a vivere in un'altra zona della cittadina, come una vera signora!

Perché si vive, si lavora e si canta in questa « viuzza », ma forse c'è in ognuno il sogno segreto di uscirne un giorno per trovare quel mondo che le ragazze, cantando, hanno soltanto nelle parole delle loro canzoni.

Quasi ogni settimana arrivano gruppi di turisti per visitare la piccola chiesa abbandonata e cadente alla periferia del paese. Una parte del tetto è caduta molto tempo fa; nel pavimento cresce l'erba e sono quasi completamente scomparse le pitture con figure strane che decoravano le pareti; ma i turisti restano a guardare a lungo e scattano fotografie all'interno e all'esterno, come se si trattasse di un oggetto prezioso.

Gli abitanti del luogo non vi avevano mai dedicato la minima attenzione, anzi qualche contadino la sera vi metteva al riparo le pecore, perché era scomparsa la pesante porta e tutti potevano entrare. Ma questo avveniva molto tempo fa! Poi si cominciò a vedere qualcuno che veniva dalla città, prima a curiosare, poi a fotografare e a misurare... finché si sparse la voce che la « vecchia chiesa » era un monumento antico molto importante!

Ormai tutti i ragazzini sanno dove accompagnare quei gruppi che arrivano con l'autobus in piazza; ma i primi tempi, quando quei visitatori chiedevano dove fosse « la chiesa », indicavano la bella Madrice che stava proprio lí, in quella piazza, con il campanile e l'orologio grande. Il sagrestano correva con le chiavi in mano e li invitava ad entrare nella chiesa, che aveva un grande altare maggiore, le colonne, le pareti bianche di calce e le statue dorate... Ma quelli guardavano un poco e poi insistevano: « la chiesa vecchia! ». E si precipitavano per le stradette in cerca di quelle « quattro pietre », come le chiamavano quelli del paese.

Le prime volte il parroco, che passeggiava davanti alla Madrice con le mani dietro la schiena, restava a guardarli quasi offeso: neanche una visitina alla sua bella chiesa!

Si finí col non badare piú a quella gente, ma non si poté fare a meno di pensare: « Ma che cosa ci trovano in quelle pietre vecchie? È proprio vero che il mondo è pieno di gente strana! ». Però ci fu qualcuno che capí bene che cosa cercavano quelle persone che venivano da lontano e, oltre a guardare e a scattare fotografie, smuovevano la terra attorno alle pietre della chiesa...

Il fabbro cominciò a coniare monetine antiche, che poi trattava con acidi vari e teneva per qualche tempo sottoterra; qualche altro faceva con la creta piccole teste e vasetti, che metteva nel forno dove si preparavano le tegole... ed attendevano i turisti per offrire con aria misteriosa monete ed oggetti antichi!

Ormai il commercio fiorisce attorno alla chiesetta di campagna e si parla delle « vecchie pietre » con molto rispetto. Anche i ragazzini sanno che il nome del loro paese è scritto nei libretti di quelle persone che arrivano da lontano con le macchine fotografiche, parlano lingue incomprensibili e pagano notevoli somme per acquistare monete ed oggetti di tempi remoti, ma che escono dalle mani degli abilissimi artigiani del paese!

LA MAESTRINA

La chiamano ancora « la maestrina », anche se i quarant'anni son passati da tempo; ma quando arrivò nella piccola città era cosí giovane e bella che quella definizione sembrò la piú aderente alla piccola figura, che aveva sempre un sorriso ed una carezza per le bambine della sua scuola.

Ha qualche capello bianco ormai, ma è sempre allegra, sempre cortese con le alunne e con le colleghe; considera la scuola la sua vera casa, la scolaresca la sua vera famiglia.

Ogni giorno, uscendo da scuola alla fine delle lezioni, è accompagnata da due o tre ragazze che le portano la borsa ed i libri; lei porta soltanto i fiori che non mancano mai, fiori di campo, violette o semplici margherite, che considera come il dono piú gradito dopo la fatica della sua giornata.

Tutti si levano il cappello quando lei passa e ricevono in cambio un sorriso, che è come un raggio di felicità tra le tante miserie della vita di ogni giorno.

Quante ragazze sono passate dalla sua scuola! Ha avuto come alunne anche le figlie di molte che da lei avevano appreso a scrivere tra i banchi di quell'aula che è rimasta sempre la stessa, con le due grandi finestre e le carte geografiche appese ai muri, con l'attaccapanni nella parete di fondo ed il mappamondo sulla cattedra. Le ha viste crescere 153 quelle ragazze che sono diventate madri e ancora le portano a casa, nelle grandi feste, le uova fresche della giornata, i polli e la frutta e la verdura delle loro campagne. Forse hanno dimenticato come si scrive correttamente in italiano, ma ciò che non possono dimenticare è quel sorriso e quel tono materno che metteva nella raccomandazione di essere buone e virtuose, perché, diceva lei, nella vita ciò che resta è la bontà e la virtú.

Molte ragazze, anche dopo tanti anni che hanno lasciato la scuola, le confidano i dubbi segreti e le pene d'amore; e lei ha per tutte la parola giusta, le consiglia come una madre, capisce sempre di piú di quello che le dicono, forse piú di quello che esse stesse pensano. « La maestrina » per loro è qualcosa di piú della comune insegnante.

Soltanto due volte in tanti anni è stata vista senza sorriso sulle labbra e con lo sguardo spento perduto nel vuoto. La prima volta quando morí sua madre dopo una lunga malattia e lei rimase sola nella grande casa e si vestì di nero, come se la vita le avesse tolto tutti i colori, anche quelli del viso; l'altra volta... già, l'altra volta fu dopo l'improvvisa partenza del collega, l'insegnante della sezione maschile, quel giovane che l'attendeva spesso all'uscita dalla scuola e l'accompagnava a casa, premuroso e gentile... Le belle passeggiate pomeridiane e la commozione quando si stringevano la mano con la tacita promessa di rivedersi il giorno seguente... Poi il collega partí e lei rimase come una rosa che appassisce in un vaso senz'acqua! Quello fu il momento in cui si sentí veramente sola al mondo e per qualche tempo non sorrise neanche alle alunne!

Soltanto due volte... ma ormai neanche lei si ricorda piú di quelle amarezze. Ha la sua scuola, le sue care alunne e vive felice nella piccola città, sempre cortese, sempre gentile, sempre pronta a donare un sorriso ed una carezza alle piccole amiche, a quelle alunne che sanno voler bene senza mentire mai.

CATERINA LA PAZZA

Ormai nessuno bada piú a questa donna che gira per le strade e dice tutto quello che pensa, che esprime giudizi terribili sulle persone piú rispettabili del paese e sugli avvenimenti del giorno. Però tutti l'ascoltano con interesse, perché sanno che dice la verità.

Soltanto una pazza può dire quelle cose ed è strano che non sia ricoverata in un manicomio! Caterina lo sa e ripete sempre: « Dite pure che sono pazza, ma io non resisto davanti a certe cose, devo dire la verità; e la verità è questa... ».

Una volta il maresciallo dei carabinieri l'aveva invitata in caserma per diffidarla, perché, parlando in piazza alla presenza di molte persone, aveva detto che il sindaco era un ladro!

Fu allora che fu definita « la pazza ». Si seppe, infatti, il discorso che aveva tenuto al maresciallo: « Io vedo gli uomini *nudi* — aveva detto —, cioè come effettivamente sono e non come cercano di apparire. Mi capisce, signor maresciallo? Lei, per esempio, impone rispetto e paura con la sua divisa, ma ha l'anima di un bambino... Mi capisce? ». Il maresciallo veramente non aveva capito e l'aveva lasciata andare, dicendo ad un carabiniere: « questa è una pazza! ».

E Caterina aveva continuato a dire la verità su tutti, fino a quando ci fu lo scandalo: il sindaco era stato denunciato per truffa! « Ve lo avevo detto io? — ripeteva Caterina — Quello è un ladro! ».

Quando passa per le strade, le madri, per fare sorbire l'uovo ai bambini che non vogliono mangiare, minacciano di chiamare « la pazza »! E quelli mangiano impauriti e con gli occhi sbarrati, come se nelle vicinanze ci fosse il diavolo!

Spesso qualcuno la chiama e scherzosamente le chiede di spiegare la faccenda degli uomini *nudi*. Tutti si divertono a sentire le scottanti « verità » che Caterina rivela sulle persone generalmente stimate, anche se non sempre capiscono il vero senso di ciò che la donna dice. « Siete delle bestie! Voi immaginate che io intenda per *uomo nudo* un uomo senza camicia! ». E qui per gli ascoltatori c'è veramente qualcosa di incomprensibile, c'è la pazzia di Caterina!

Ma quando dice che « il farmacista è un cretino », il prete è avaro », « la moglie del medico è vanitosa e pettegola », « il veterinario è bravo soltanto perché gli animali non possono parlare », « il maestro della scuola non sa scrivere una lettera»..., allora sono tutti d'accordo e ridono soddisfatti, perché finalmente c'è qualcuno che dice le cose come sono!

Però tutto questo lo può dire soltanto Caterina!

«Ma allora nel nostro paese non c'è nessuna persona perfetta?!». Caterina aggiunge subito: «Certo che c'è una persona perfetta, ed è una sola! Questa persona, sono io! Ma con voi non si può ragionare, perché credete che io sia pazza!».

BISOGNA RISPARMIARE

«Bisogna risparmiare» sono le parole che il vecchio avvocato ripete spesso durante la giornata! Le ripete quasi per paura di dimenticarle, col rischio di perdere il controllo del denaro che ha accumulato tutta la vita.

La verità è che l'avarizia dell'avvocato è senza limiti; sarebbe capace di soffrire le pene dell'inferno, pur di non spendere un soldo! È molto ricco, è proprietario di terreni e di appartamenti, ma è continuamente ossessionato dall'idea della miseria e vede attorno soltanto gente che sciupa il denaro, che non pensa all'avvenire, che dilapida patrimoni.

Vive con lui il figlio sposato ed ha un nipotino che è una meraviglia, ma la nuora è una donna che non conosce il valore del denaro! Appena il bambino fa «Ahi!», chiama subito il medico e sono quattrini che volano tra visite e medicinali. Poi risulta che il bambino ha un semplice raffreddore!

Quante medicine, quanti sciroppi! Quegli sciroppi costano tanto e vengono spesso lasciati nelle bottiglie a metà! Il povero avvocato è costretto a bere sciroppi di ogni genere, a prendere pillole che la nuora compra e poi abbandona nei flaconi dentro i cassetti. Non può tollerare che le medicine si debbano gettare via, quindi prende tutto! Ha preso perfino le pillole per la gravidanza!

156

E la mania del figlio di comprare il giornale tutti i giorni?! Si potrebbe chiederlo in prestito al professore che abita accanto; quando il professore l'ha letto, che cosa se ne fa del giornale? Se le notizie si leggono il giorno dopo, che cosa si perde? In tutto il palazzo ci si potrebbe mettere d'accordo e comprarne una sola copia per tutti! Ma questo significherebbe aver cura del denaro; invece il mondo è pieno di sciuponi.

Senza contare che il risparmio ha anche un valore morale; ma non tutti lo capiscono. Certamente non lo capisce sua nuora, che va spesso dal parrucchiere e paga per farsi rovinare i capelli! Non lo capisce suo figlio, che compra scarpe e vestiti come se dovesse andare ogni giorno ad una festa! Lui ha un cappello da trent'anni ed un vestito da vent'anni, col vantaggio che sono tornati di moda senza averli cambiati mai! Ma queste cose i giovani non le possono capire ed i negozianti si arricchiscono alle spalle dei poveri stupidi.

Ora da tre giorni l'avvocato è a letto con la febbre alta ed una tosse violenta che gli squassa il petto, ma non vuole sentire parlare di medico. Per una visitina di pochi minuti, secondo i suoi calcoli, pretendono il denaro che basterebbe a mandare avanti una famiglia per un'intera settimana! È meglio sentire che cosa ha fatto lo scorso anno il suo vecchio amico, che ha avuto la stessa tosse.

Il figlio e la nuora lo guardano molto preoccupati, ma lui, tra un colpo di tosse e l'altro, dice imperterrito: « passerà! ».

Col suo denaro non dovrà arricchirsi né il medico, né il farmacista! Si sente infelice soltanto perché, la sera, non può girare per le stanze e spegnere la luce, che figlio e nuora distratti lasciano sempre accesa! La tosse, con un po' di pazienza, passerà!

Conosce gli angoli di tutte le strade della città, le porte di tutte le chiese, i portoni di tutte le case signorili, per avere passato la vita chiedendo l'elemosina.

Prima era petulante ed insistente, usava frasi che commovevano le vecchie signore, accettava qualsiasi monetina e ringraziava benedicendo, sempre fingendo di pregare per le « anime dei poveri morti ». Da qualche tempo, invece, cammina per le strade e raramente stende la mano, perché vuole essere sicuro di trovare la persona disposta a dargli almeno una moneta da cento lire, o qualcosa di piú.

Ormai chiede l'elemosina per passatempo, perché non si considera piú in servizio attivo; ha i suoi risparmi in banca e vive di rendita. Come un uomo che si rispetti, ha deciso di mettersi in pensione e di godersi i frutti di un lavoro che è durato piú di cinquant'anni.

Qualche tempo fa cominciò a mettersi in servizio davanti alle chiese soltanto per mezza giornata; poi andava a sedersi su una panchina dei giardini pubblici e, in attesa della sera, passava felice il resto della giornata dormendo con il vecchio cappello calato sugli occhi, le mani intrecciate sulla pancia e le gambe accavallate. Sull'imbrunire si ritirava a passi lenti verso casa nel quartiere popolare, dove trovava la compagnia di cani randagi.

Ora ha eliminato anche quella mezza giornata di lavoro e cammina tutto il giorno, soffermandosi soltanto per guardare le vetrine dei negozi. La mattina, uscendo da casa, stabilisce un itinerario e alla fine si riduce sempre ai giardini pubblici; passa il tempo valutando le persone, considerando quanto possono guadagnare in un mese e quanto possono spendere per vivere.

Non ha problemi neanche per il vitto, perché con un cartoccio di nocioline ed un tozzo di pane vive tutta la giornata; la sera passa da una modesta rosticceria del mercato e con poche lire completa il pasto.

L'unica compagnia che cerca è quella dei cani, di quei cani senza padrone che trovano sempre un osso nei mucchi di immondizie alla periferia della città. Con essi parla a lungo, come si discorre con gli amici piú cari. Con i cani si sente un signore; dopo avere passato la vita intera a chiedere ed a ricevere da tutti, finalmente può dare un pezzo di pane duro...

Qualche volta va a sdraiarsi in un prato, sull'erba, e resta a guardare a lungo il cielo con le sue nuvole bianche che si spostano lentamente, deformandosi. È quello il momento in cui pensa di più alla sua esistenza, alla vita passata sui gradini delle porte delle chiese, guardando in alto per implorare la carità! Gli pare di chiedere qualcosa alle nuvole... Senza sapere perché, stende istintivamente la mano e singhiozza come un bambino.

VANNO SULLA LUNA

A – Hai letto nel giornale? Vanno di nuovo sulla luna!

B – E restano là?

A – No! Come fanno a restare là, se nella luna non c'è niente? Non c'è nessuna forma di vita...

B – Ma allora, perché ci vanno? Ci sono già stati altre volte, hanno constatato che non c'era niente, hanno trovato soltanto delle pietre... e ci vanno ancora!

A – Si tratta di studi di altissimo valore scientifico, si cerca di capire l'origine del mondo, si tenta di scoprire i segreti dell'universo...

B – Ma sulla terra non c'è più nulla da scoprire? Se si cercasse di scoprire il segreto per eliminare le guerre, non sarebbe più utile per l'umanità? Ci sono ancora malattie misteriose che ci affliggono...

A – Tu fai il solito discorso di chi non vede più in là di un palmo dal proprio naso! Secondo questo modo di pensare, la scienza dovrebbe fermarsi... in attesa che finiscano le guerre! E si resterebbe sempre a guardare la luna come la bella faccia che, di notte, fa sognare gli innamorati! Questo è il discorso delle persone che non hanno cultura, che...

B – Non è questo!... Non bastava andarci una volta sola? Tra l'altro, la prima volta tutta la gente seguiva l'avventura lunare con il cuore in gola: « Arrivano?!... Ritornano?!... Funzioneranno bene tutti quei complicatissimi apparecchi?!... Dove vanno a finire   159 quei poveri astronauti?!». Ma ormai non c'è piú neanche il brivido! A tale ora e tale minuto partono; a tale minuto arrivano; a tale minuto ritornano... e su questo preciso punto dell'oceano! Senza trovare niente! Per trovare qualche pietra hanno dovuto scavare! Neanche le pietre a portata di mano!

A – Ma quelle pietre hanno un'importanza grandissima! Perché non leggi i giornali?

B – Io leggo i giornali e so pure che hanno portato lassú anche l'automobile! Capisci?! L'automobile!... Cosí, se si dovesse arrivare al giorno in cui ci fossero viaggi normali per la luna, si troverebbero le macchine e forse la circolazione caotica delle nostre strade!

A – Ma guarda un poco a che cosa si può ridurre una delle piú grandi conquiste dell'umanità del nostro tempo! È incredibile!

B – A dire la verità, in un primo momento mi ero entusiasmato pure io, perché pensavo alla possibilità di un insediamento stabile sulla luna. La terra ormai non riesce piú a contenere la popolazione, che è cresciuta troppo rapidamente; si sarebbe fondata qualche città... Un biglietto di sola andata per le persone che danno fastidio sulla terra... Che felicità!

A – Che idee!

B – Avrei fatto qualsiasi sacrificio per risparmiare i soldi necessari per l'acquisto di due biglietti!

A – E saresti andato ad abitare sulla luna con tua moglie?

B – Nooo! Io no! Un biglietto per quel giovane che abita nell'appartamento accanto al mio e studia violino... ed un biglietto per mia moglie!

COME LO CHIAMEREMO?

Tra i due sposini, in un anno di matrimonio, c'è stato sempre un accordo esemplare, un amore tenero e sincero da suscitare in tutti, amici, parenti e conoscenti, ammirazione ed invidia! Anche se è passato da tempo il periodo della « luna di miele », li chiamano ancora « gli sposini », per quell'aria giovanile e per quel tenero affetto che emana da ogni loro gesto, da ogni loro parola.

Però, anche su questa felicità, da qualche giorno è spuntata una nuvola! La giovane signora attende un bambino. Sono felici! Lei desidererebbe una bambina; per lui è indifferente: « maschio o femmina, non ha importanza! È il primo figlio! ».

Avvicinandosi il momento della nascita, si cominciano a fare le proposte sul nome da dare al nascituro. Per la famiglia di lui non ci dovrebbero essere dubbi: se è maschio, il nome del nonno paterno; se è femmina, il nome della nonna. Bisogna rispettare la tradizione! I figli successivi avranno i nomi dei nonni materni.

« Ma tu capisci? Un bambino che si chiami Pancrazio?! Una bambina col nome di Genoveffa?! » dice la signora afflitta al marito, che riconosce l'assurdità di quei nomi, ma non vorrebbe dare un dispiacere ai suoi genitori!

« Per rispettare la tradizione, tu ti chiami Procopio! E dobbiamo ricorrere al diminutivo " Pio " per non fare ridere la gente! Nessuno sa che io mi chiamo Agrippina, perché io ho sempre detto che mi chiamo " Pina "! I nostri figli devono avere dei nomi belli! ».

« Nomi belli?! ». E Pio, pensieroso, resta molto angustiato. « È un problema! ».

« Non c'è nessun problema! — insiste la moglie — Ci sono tanti bei nomi: Sonia, Elisa, Silvia... E per i maschi: Sergio, Dario, Aldo... Tutti nomi belli e brevi, che non si prestano a deformazioni... ».

— « Ma anche i nomi più comuni! Giovanni, Giuseppe, Francesco... ».

— « Per carità! Sempre gli stessi nomi! Che mancanza di fantasia! ».

— « I miei si offenderanno, se non lo chiameremo Pancrazio! ».

— « E si offendano pure! ».

— « Ma allora come lo chiameremo? ».

— « Ci penseremo bene, anche perché bisognerà evitare di dare un nome che poi non corrisponda alla personalità... Capisci? Quel tuo amico che si chiama " Ercole " ed è alto un metro e cinquanta! E quell'altro, " Napoleone! " ha paura pure dell'aria che respira!... Anche mia cugina Pia! " Pia?! " ed è una vipera! ».

— « E se lo lasciassimo senza nome fino ad una certa età?! Secondo me, i bambini si dovrebbero indicare con un numero e qualche lettera dell'alfabeto fino a vent'anni, anche per dare a loro la possibilità di scegliere il nome che più piace!... ».

— « Comunque, in casa nostra niente " Pancrazio " e niente " Genoveffa "! Abbiamo ancora qualche giorno per pensarci su... Il numero e la lettera dell'alfabeto?! Come se si trattasse di una targa automobilistica! Il nome da dare ai nostri figli lo sceglierò io! ».

Tanta gioia per l'attesa della nascita ed ora anche la preoccupazione per il nome da dare al bambino! È proprio vero che la vita è difficile!

ARRIVA IL NUOVO CASSIERE DELLA BANCA

Da tempo si parlava del trasferimento del cassiere della banca e, quando arrivò la notizia ufficiale, tutti si sentirono come liberati da un peso. Il cassiere era simpatico e gentile con tutti, aveva una bella famiglia, ma, appena si seppe che doveva essere trasferito in un'altra sede, si cominciò a considerarlo come un estraneo, come un elemento che usciva dalla scena della cittadina per avere esaurito il suo compito come personaggio di quella società.

Naturalmente non si perdeva occasione per seguire le varie fasi dei preparativi per la partenza e qualsiasi scusa era buona per dare un'occhiata nella sua casa per vedere se veramente i mobili erano già imballati e se i bauli erano pieni... Ma era soltanto per semplice curiosità!

L'argomento si ravvivava un poco unicamente quando, dalle informazioni assunte, non si riusciva a stabilire con esattezza il giorno della partenza: « Io ho parlato con la signora; mi ha detto che potrebbe passare ancora un mese! » — « Ma a me l'ha detto lo stesso cassiere: partiranno alla fine della prossima settimana ». — « Ma se ancora non si sa quando arriva il cassiere che lo sostituisce?! E poi ci sono le consegne... ».

La verità è che tutto l'interesse della gente cominciava a trasferirsi sul nuovo cassiere che doveva arrivare. Era una novità!

L'attesa, col passare dei giorni, si faceva sempre più ansiosa, fino a diventare, per qualcuno, un tormento: « È possibile che non si debba sapere proprio nulla di questo cassiere?! » — « È giovane, me l'ha detto il direttore » — « Ha fatto una bella carriera... ».

A poco a poco si seppe tutto, o si credette di sapere tutto! Giovane e scapolo! E anche bello! Alto, biondo, con i capelli ricci! Ma le notizie si intensificavano, si intrecciavano, si contraddicevano... « Beh! Proprio giovane, no! » — « Ma che età ha esattamente? » — « Io ho saputo che ha trentacinque anni » — « A me hanno detto che ne ha quasi quaranta! » — « Non è sposato ed ha quarant'anni ».

Questo era il punto in cui convergeva la curiosità di tutti: « Non è sposato! ».

Non risultava che fosse fidanzato; ma cominciava a diffondersi « in confidenza » la notizia che forse non era fidanzato in forma ufficiale, ma che certamente doveva avere un amore segreto! Oppure era un donnaiolo, che correva dietro a tutte le gonnelle senza fermarsi per una scelta definitiva!

Molte signorine indagavano! Qualcuna entrava in banca, anche senza motivo o soltanto per cambiare una banconota da diecimila lire, per cercare di scoprire la verità, attraverso qualche frase del vecchio cassiere; ma le notizie erano sempre le stesse!

Si finí col guardare il cassiere con irritazione, perché ritardando la partenza, impediva al giovane tanto atteso di mettersi al suo posto! Perché non se ne andava?!

Finalmente il nuovo cassiere arrivò! Ed arrivò in compagnia della vecchia madre!

Si sistemò nel piccolo albergo vicino alla banca ed iniziò il suo servizio prima ancora che il suo collega partisse.

Aveva i capelli biondi e ricci, ma era basso di statura! Dimostrava piú di quarant'anni e, di peso, superava certamente i cento chili! Non rideva mai! La sera, alla chiusura dell'ufficio, rientrava immediatamente all'albergo, cenava e poi usciva con la madre per fare quattro passi. Vestito di scuro, sembrava afflitto da un lutto recente. Camminava lentamente, con la vecchia signora sottobraccio, senza dire mai una parola!

In pochi giorni la gente si abituò a vedere la coppia, senza mostrare alcun interesse. Forse era un ottimo cassiere, ma costituiva per tutti una grande delusione!

La signora cominciò a fare le prime conoscenze e parlava sempre del figlio: « Peppino è un gran bravo figliolo; ora deve pensare a sistemarsi, deve trovare una brava moglie, una donna come dico io! ».

Ed il povero cassiere, che da vent'anni sentiva questo discorso, guardava con gli occhi spenti, come se ormai l'argomento non lo interessasse piú! Era desolatamente sicuro che « la donna come diceva lei » non l'avrebbe trovata mai!

Una volta si era pure innamorato ed aveva pensato al matrimonio, ma ci furono degli svenimenti della madre che consigliarono calma e pazienza! Per quanto tempo dovette sopportare il broncio ed i rimproveri della vecchia signora? « Figlio ingrato! Vuoi rovinarmi l'esistenza con quella donna in casa?! Tu hai bisogno di una donna tranquilla, come dico io! ». E cosí non se ne parlò piú!

Che cosa gli restava da fare? Andare all'ufficio e poi, la sera e nei pomeriggi dei giorni festivi, portare a spasso la madre, come se volesse dire a tutti: « Vedete?! La colpa non è mia! Se dipendesse da me, mi sposerei subito! Quindi, vi prego, non mi guardate cosí! ».

E veramente tutti lo guardavano in modo che sembrava volessero dire: « Forse, come dice tua madre, sei un gran bravo figliolo, ma che delusione! Sei cassiere, hai una bella posizione ed invecchi triste e solo, mentre potresti fare felice una signorina! ».

LA PIAZZA CENTRALE DI UNA PICCOLA CITTÀ

(descrivere l'illustrazione)

che vita!

LA FORMICA
CHE VUOLE CANTARE!

Le formiche sono laboriose e attivissime, non riposano mai. Cercano sempre qualche cosa da portare nei loro nascondigli: un filo di paglia, una briciola di pane, un chicco di grano. Qualche volta trascinano pesi sproporzionati per le loro forze, ma non si arrendono; vanno sempre in lunghe file senza concedersi un attimo di riposo. Non c'è nessuno che le inciti, nessuno che le sproni; concepiscono il lavoro come un dovere morale, hanno il senso della socialità.

È per questo che meraviglia di più il caso di una formica che esce dalla lunga fila e resta a guardare le compagne che vanno e tornano sempre cariche, sempre in fretta. È una formica che contesta!

È stata conquistata dal canto continuo ed assordante di una cicala e vorrebbe cantare pure lei. Perché affannarsi tanto, mentre il sole brilla ed il cielo è sereno? Cerca di emettere la voce, ma non sa cantare! Che malinconia! Però un giorno, riuscirà...

Qualche formica si ferma un attimo, la guarda e poi riprende la sua strada; la ribelle sente quegli sguardi come un rimprovero, ma pensa al giorno in cui sarà applaudita da tutti per il dolce canto, quando potrà finalmente gareggiare con le cicale.

Un formicone le si avvicina e le chiede perché mai si sia fermata e non segua la fila delle compagne. «Sono stanca, — risponde — sono stufa di questa vita, voglio cantare come le cicale!». «Cantare?! Come le cicale?! — dice il formicone indignato — Ma è una pazzia! Mai sentita una cosa simile! Non ti vergogni?».

La notizia si diffonde immediatamente ed è cosí sorprendente che tutte le formiche si fermano incredule ed inorridite in attesa di una decisione. Si può mai tollerare che una formica voglia imitare le cicale? Forse l'avrebbero perdonata, se avesse detto che voleva abbaiare come i cani o ragliare come gli asini, ma cantare come le cicale! Questo mai!

Si riuniscono a consiglio e decidono subito, perché bisogna evitare una simile vergogna. Prima che la formica contestatrice si allontani, la circondano, la prendono come un chicco di grano e la portano dentro il buco piú vicino. La formica strilla e si sente nell'aria soltanto la sua voce, perché davanti a quella scena anche la cicala ha smesso di cantare!

Quello strillo della povera formica è stato soltanto un inizio di canto: ora tutto è finito.

In fila lunghissima tutte le altre riprendono il lavoro con piú affanno, perché hanno perduto del tempo con quella pazza che voleva cantare come le cicale!

IL CAPUFFICIO

Il signor Rossi è un uomo serio e zelante, un lavoratore instancabile che si è affermato giovanissimo ed ha percorso rapidamente i vari gradi della sua carriera. Dimostra un'età superiore a quella che effettivamente ha, soprattutto perché ha perduto tutti i capelli, e ciò costituisce per lui una grande mortificazione.

Quando esce, anche d'estate, porta sempre il cappello, ma in casa e all'ufficio è costretto a mostrare a tutti, con sua pena segreta, una testa rotonda e pelata, liscia e lucida come una palla di bigliardo.

Quello dei capelli è un argomento che non tocca mai, ma davanti ad ogni specchio o ad ogni vetrata si guarda con rabbia ed in segreto nutre una grande invidia per tutte le persone che hanno folti capelli.

È severo con tutti; quando entra la mattina in ufficio, corre tra tutti un bisbiglio: « è arrivato il capufficio! », « c'è il capufficio! ».

Come segretario ha un uomo tozzo e taciturno, di quelli che non alzano mai lo sguardo e sono sempre pronti ad ubbidire. Ha fatto carriera pure lui e molti colleghi non si spiegano come abbia fatto a conquistarsi la fiducia del capufficio. Il segretario non ha neanche un capello!

Spesso, con gli occhi per terra, timidamente chiede un aumento di stipendio; il capufficio, che è terribile con tutti, lo guarda a lungo in silenzio fissando la sua testa grossa e rotonda, liscia e rosea, poi concede quasi sempre l'aumento richiesto. La notizia si diffonde e gli impiegati sperano di ottenere anch'essi qualche cosa, ma trovano sempre il capufficio duro ed irremovibile.

Un giovane dipendente entra un giorno, con il dovuto rispetto, nella direzione ed accenna al costo della vita, ad una sua idea di crearsi una famiglia... Il capufficio lo guarda con occhi terribili e tace! Quel giovane ha un gran ciuffo di capelli che gli scende sulla fronte, quasi a coprirgli gli occhi... È pentito di aver parlato!

« Si vergogni — grida il capufficio — si vergogni! Non è il momento di parlare di queste cose! E cerchi piuttosto di essere più ordinato, si pettini almeno! Vada via, mi lasci lavorare in pace! ».

Quando esce per tornare a casa, il capufficio è ancora adirato. Sua moglie si accorge che c'è qualcosa che non va all'ufficio, che il marito lavora troppo, che non può continuare questa vita. Gli domanda affettuosamente se ha avuto dei fastidi. « Nulla! » risponde sgarbato; poi si ferma davanti ad uno specchio e, guardandosi la testa, mormora tra sé: « Incoscienti! Chiedono pure l'aumento dello stipendio, con quei capelli arruffati e lunghi come i selvaggi! ».

LA SIGNORINA ADELE

La signorina Adele ha trent'anni, la stessa età che aveva lo scorso anno e due o tre anni fa! Nessuno conosce la sua data di nascita e le dà molto fastidio parlare di questo argomento, perché lei ha trent'anni e basta!

Se si parla di matrimoni, oggi che le ragazzine si sposano quando ancora non hanno compiuto i vent'anni, Adele dice che l'età giusta per sposarsi è quella dei trent'anni, perché si è mature e si ha senso di responsabilità per reggere una famiglia. Sua sorella Ada aveva trent'anni quando si sposò; ora ha tre bambini che sono una meraviglia, è stato un matrimonio perfetto. Che bei bambini, che tesori! Renato, Elisabetta e Marta: tre gioielli!

Ada vive in una città vicina e quando viene, sola o con il marito, nella casa dei nonni è una gran festa. Da qualche tempo Elisabetta vive più con i nonni che con i genitori; ha quattro anni, non va ancora a scuola, quindi può passare gran parte dell'anno allietando la casa dei nonni e facendo compagnia ad Adele, che si dedica alla bambina con affetto materno. Veramente... « si dedicava », perché ora cerca di lasciarla alla nonna tutte le volte che può e da qualche giorno dimostra insofferenza per la vivace Elisabetta.

Prima non avrebbe mai detto alla bambina con tono severo: « Levati dai piedi! Mi dai fastidio! ». Ora queste frasi sono continue, da quando...

Ha cominciato l'esattore del gas! Bussano alla porta, Elisabetta 175 corre per vedere la zia che parla con quell'uomo. Mentre Adele paga la bolletta del gas, l'esattore guarda la bambina ed esclama: « Che bella bambina! Pure io ho una figlia di quell'età; lei, signora, è una madre fortunata... ».

— « Io sono signorina! Questa è figlia di mia sorella! » dice Adele con tono secco e sbatte la porta in faccia all'esattore.

Poi quel giovane, quel bel giovane biondo che nell'autobus cede il posto ad Adele, dicendo: « Prego, signora, si accomodi, lei ha la bambina ».

— « Io sono signorina! ».

Quando torna a casa è di umore nero: « Però, se mia sorella si tenesse i figli a casa sua, sarebbe meglio per tutti! ».

E quel commesso del negozio di maglieria? Che sfacciato! Ad alta voce, in modo da fare sentire a tutti: « Guardi, signora, questa giacchetta per sua figlia; è il colore di moda quest'anno. Che bella bambina! E come le somiglia! ».

« Andiamo, Elisabetta, andiamo via; in questo negozio non si può comprare nulla! » quasi grida Adele congestionata.

Lungo la strada tiene per mano la bambina, ma le dà degli strattoni che le fanno male al braccino. Elisabetta non parla, la zia è arrabbiata! Ha pure dimenticato di comprarle i cioccolatini che le aveva promesso prima di uscire di casa!

Adele cammina in fretta, guardando diritto davanti a sé e mormorando tra i denti: « Maledetta bambina, tu non uscirai mai piú con me! E quello stupido! Come si fa a non distinguere una signorina da una signora! ».

UN PITTORE ORIGINALE

Una volta, quando si visitava una mostra di pittura, anche non essendo intenditori d'arte, si riusciva a capire che un quadro rappresentava un tramonto, un altro una donna seduta, una barca a vela, un cavallo... Poi, a poco a poco, le figure cominciarono a scomparire dai quadri o a subire delle impressionanti deformazioni e, per sapere quale fosse il tema di una pittura, bisognava leggere il titolo del quadro. Si restava assorti davanti all'opera con gli occhi socchiusi, ci si metteva a giusta distanza per cogliere gli effetti profondi e si sospirava: « un capolavoro! ».

Se qualcuno, accanto all'intenditore, cercava di capire qualcosa e mostrava incertezze o perplessità, sentiva sempre il vicino che diceva: « Certo, non è pittura che possono capire tutti, ma che opera d'arte! ». Cosí, per non apparire ignoranti, per dimostrare che si apparteneva alla categoria degli intenditori, si ripeteva: « che capolavoro! », anche se non si capiva niente.

Un pittore, che aveva avuto poca fortuna dipingendo paesaggi e ritratti, capí finalmente che bisognava rinnovarsi e trovò il termine di « trasposizione » come essenza della sua pittura. Continuò a dipingere ritratti, ma al posto della testa riproduceva una bella zucca, gialla o rosea, piccolina o grossa, secondo che si trattasse di « ritratto di bambina », di « ritratto di giovane donna », di « ritratto di uomo che pensa ». Erano zucche perfette ed era logico che il successo non potesse mancare, perché si trattava di un nuovo impegno estetico, di una « trasposizione »! 177

Con il successo era aumentato notevolmente il prezzo di quei quadri e gli acquirenti si prenotavano, perché ognuno voleva che figurasse nella propria collezione un « ritratto » di cui tutti parlavano.

Anche il signore nostro vicino di casa pregò il pittore di fargli un bel ritratto da mettere nella parete piú grande del salone e per piú di due settimane andò a posare nello studio del pittore.

Prima che arrivasse il quadro a casa, diceva alla moglie: « Costa molto, ma vedrai che capolavoro! ».

Finalmente arrivò il quadro ed il vicino di casa lo sistemò nella parete restando incantato a rimirarlo, seduto in una poltrona. Non si riconosceva nel ritratto, ma era un'opera moderna, non era il solito ritratto fotografico con il naso che è naso, gli occhi che sono occhi... Tutte cose superate! Per un ritratto di quel genere si va dal fotografo, non si va dal pittore!

La moglie non era ancora rientrata e, quando il signore sentí che apriva la porta, corse raggiante all'ingresso: « Cara, una bella sorpresa! Nel salone c'è già il mio ritratto ».

La donna si fermò davanti al quadro senza parole, mordendosi il labbro inferiore. Quando poté parlare, disse: « Ma quella è una zucca! ».

« Stupida, — disse lui — non capisci nulla! È il primo quadro originale che abbiamo in casa! ». E si allontanò borbottando: « Le donne! Che cosa possono capire le donne di " trasposizione "! ».

La donna rimase lí, mortificata; come avrebbe potuto dire alle amiche, indicando il quadro: « Vedete? Naturalissimo! Pare che parli! », come si dice sempre dei ritratti! Si lasciò cadere su una sedia, passandosi una mano sulla fronte: « Sarà originale! Ma per me è una zucca! ».

IL VECCHIO PENSIONATO

Dopo quarant'anni di lodevole servizio il signor Guglielmo è passato nella categoria dei pensionati. Ormai si è abituato alla nuova vita, ma i primi tempi sono stati duri: alzarsi la mattina, prepararsi per uscire senza sapere dove andare, vedere le strade nelle ore in cui tutti lavorano, incontrare gente di cui prima ignorava l'esistenza, perché non passava dal suo ufficio di contabile presso la Ditta « Esportazioni ed importazioni » ...era sempre qualcosa che l'affliggeva e gli sembrava che difficilmente si sarebbe rassegnato!

Invece a poco a poco ha acquistato un nuovo senso delle cose e la sua vita ora si svolge con un ritmo regolare, come se tutto sia fermo in attesa di qualcosa che da un momento all'altro deve arrivare e che si deve accogliere come si accoglie l'alba o il tramonto, un colpo di vento o un'improvvisa burrasca.

Quando lavorava era sempre attivo, anche a casa, e dimostrava dieci anni di meno della sua età; aveva sempre qualche cosa a cui pensare, tutta la giornata piena. Curava gli uccellini e faceva lunghe chiacchierate con essi; ora neanche quelli sono rimasti a fargli compagnia e sua moglie sembra che sia diventata piú brontolona del solito. Cosí non gli resta che uscire due volte al giorno per lunghe passeggiate, per finire sempre ai giardini pubblici. Anche fisicamente sembra ridotto di dimensioni, lo stesso cappello sembra divenuto piú largo, i vestiti non sembrano i suoi!

Da qualche giorno ha trovato due nuove mete: la stazione ferro-   179 viaria ed il porto, dove c'è sempre qualche nave in partenza o in arrivo. Ritorna a casa e dice alla moglie che è partito un treno con diciotto vagoni, tutti pieni fino all'inverosimile. Mah! Chissà dove va tutta quella gente! Al porto si confonde con la folla che dalla banchina saluta commossa chi parte e va lontano; e saluta pure lui, come se partissero i figli che non ha mai avuto, i parenti che conosce appena e non frequenta.

Quando la nave si stacca dal molo, anche lui sente uno strappo e con un fazzoletto in mano saluta, specialmente se si tratta di una coppia di sposi che va in viaggio di nozze. Per tanta gente quello può essere un momento di felicità, per tanti altri un distacco senza fine!

Nel suo ufficio, per quarant'anni, ha avuto sempre tra le mani pratiche di partenze e di arrivi, ma soltanto di merci, di oggetti imballati senza anima, di casse pesanti con numero di matricola e di spedizione... Ora scopre che ci sono altre partenze, altri arrivi, ed ogni sera ritorna a casa con la testa giú, sempre pensando « ma quanta gente parte, quanta gente arriva! ».

IL TELEVISORE

Che gioia quel giorno, quando portarono a casa il televisore! Lo sistemammo come un monumento in un angolo del salone ed attendemmo ansiosamente la sera per assistere al primo spettacolo. Invitammo anche i vicini di casa e fu una serata memorabile. Il nonno, ben sistemato in una poltrona, non perdette una scena di tutti i programmi.

Nei giorni successivi vedemmo anche il programma riservato ai ragazzi, i documentari, la pubblicità, vedemmo tutto... e nel piú assoluto silenzio, perché il nonno, sordo come una campana, non voleva perdere una battuta. Non sentiva nulla, ma, se qualcuno parlava, si spazientiva e ci sgridava tutti, perché per colpa nostra non poteva seguire bene la trasmissione!

I primi tempi si cenava con i piatti sulle ginocchia e con il fiato sospeso per non disturbare il nonno. Prendevamo tutti pillole per digerire, perché da quando avevamo il televisore la digestione era diventata difficile per tutta la famiglia.

Una sera uno di noi disse: «Com'è bello questo balletto!» e fu una serata nera, perché il nonno si alzò arrabbiatissimo e si ritirò nella sua camera, brontolando che la nostra era una famiglia impossibile.

Non era mai successa una cosa simile! Per qualche sera il nonno non volle assistere alla trasmissione ed in tutta la casa ci fu come un gelo. Tutti guardavamo come un traditore il colpevole che aveva osato dire «com'è bello questo balletto!».

A poco a poco, in assenza del nonno, si poté esprimere qualche 181 giudizio e si poteva anche ridere! Poi ci fu chi disse: « Ma il programma del secondo canale è migliore, a me non piace questa commedia!». Si cominciò a cambiare il canale, ma non si era d'accordo sul programma da vedere e la discussione diventò subito animatissima, fino a quando mio padre adirato gridò: «Basta con questa televisione!». Fu un grido secco. Si spense il televisore e tutti andammo a dormire come se avessimo avuto un lutto in famiglia.

Era veramente finita la pace nella nostra famiglia! Tutti ci guardavamo con l'aria offesa, ritenendo gli altri responsabili di colpe gravissime.

Ci furono ordini severi di non toccare il televisore e nessuno lo toccò. Rimase in quell'angolo per qualche tempo, ingombrante e spento, come il vero colpevole del piccolo dramma familiare, fino a quando mio padre disse un giorno: «Soltanto per vedere la partita di calcio!». Così tutti a poco a poco ci avvicinammo e ci riconciliammo con il televisore per riprendere più tardi la questione del primo e del secondo canale. Fu una questione che durò a lungo ed un vero accordo non si raggiunse mai!

La verità è che la serenità della nostra famiglia fu irrimediabilmente turbata nello stesso momento in cui il televisore era stato sistemato in quell'angolo del grande salone, solenne e minaccioso come il monumento di un tiranno.

GLI AMICI

È veramente bello avere molti amici. Tutti sanno che la vita è piena di imprevisti e di angustie, ma quando si è circondati da amici non si soffre e si può vivere felici.

Io ho tanti amici affettuosi, sempre pronti ad aiutarmi nelle difficoltà, ed è un peccato che finora non abbia mai avuto bisogno di nulla, perché avrei potuto risolvere tranquillamente tutti i problemi con l'aiuto di queste persone care.

Soltanto una volta mi trovai nei guai, ma non potei sfruttare l'intervento degli amici, perché era d'estate e tutti si trovavano al mare o in montagna. Quando ritornarono dalla villeggiatura e seppero che avevo attraversato un brutto periodo, provarono gran dolore e mi confortarono con affettuose parole, con quelle parole che soltanto gli amici sanno dire.

Ora che ricordo bene, un'altra volta passai una settimana a letto, gravemente ammalato, ma non vidi nessuno perché in città c'era una epidemia di influenza e tutti temevano il contagio. Quante telefonate! « Se hai bisogno di noi, non fare complimenti; lo sai che siamo amici e che puoi contare su di noi! ».

Che sfortuna! Dovevo proprio ammalarmi durante l'epidemia di influenza! Se non ci fosse stata quell'epidemia, li avrei avuti tutti attorno al mio letto ad aiutarmi e consolarmi!

E com'è brutto perdere un amico! Mi è capitato recentemente: uno degli amici piú cari ha avuto bisogno di una certa somma e, come si 183 fa tra amici, gli ho messo a disposizione tutto ciò che avevo. È stato gentile, non ha preso tutto; mi ha lasciato qualcosa e mi ha promesso di restituirmi il denaro dopo pochi giorni.

È passato del tempo e non l'ho più rivisto. Poverino! Certamente doveva essere mortificato, perché era stato costretto a ricorrere a quel prestito.

L'ho cercato, anche perché avevo bisogno del denaro che gli avevo prestato, ma quando sono riuscito ad incontrarlo e a ricordargli, con molta discrezione, che avevo necessità di quel denaro, si è offeso!

Tra amici non si fanno quei discorsi!... Mi ha lasciato solo in mezzo alla strada, senza neanche salutarmi! Le sue ultime parole: «E ricorda che da questo momento hai perduto un amico!».

È veramente terribile perdere un amico!

LA MINIGONNA

La signora Iole ha l'abitudine di uscire ogni sera all'ora in cui suo marito esce dall'ufficio; lo attende davanti alla banca e insieme con lui, prima di rientrare a casa, fa una passeggiatina al centro. Il direttore è quasi sempre nervoso e stanco alla fine di una giornata di lavoro, ma quando vede la signora Iole si rasserena e sorride.

Guardano le vetrine, salutano amici e conoscenti, sono felici. La signora nota compiaciuta che suo marito, anche se è sempre serio e severo, non si lascia sfuggire le belle ragazze che, eleganti e disinvolte, passeggiano nella affollata strada centrale della città. Ammira soprattutto quelle che portano succinte minigonne ed esclama: « Che belle gambe! ».

La signora Iole pensa che il momento sia opportuno per avviare il discorso sulla figlia Anna che da tempo desidera la minigonna, ma con un padre tradizionale e burbero non ha avuto il coraggio di parlarne. È un argomento che si è rivelato molto delicato e fino ad ora si è risolto con sfoghi tra figlia e madre e con lacrime segrete.

« Guarda quella, — dice la signora — tutti si voltano! Un palmo di gonna! Quando ero ragazza io, si gridava allo scandalo se si scopriva un poco il ginocchio! I tempi sono cambiati! ».

« Ti confesso — dice lui — che a noi uomini, anche se ciò può apparire indecente, piace molto... non so come dire... capisci? ». Si schiarisce la voce: « Queste ragazze, vestite cosí, sono eccitanti; sembrano 185 tutte belle, anche quelle che non sono particolarmente dotate... Insomma... Certo che i tempi cambiano!».

La signora vorrebbe continuare il discorso, ma sono già arrivati alla porta di casa. La cena è pronta; si mettono a tavola con la figlia e mangiano in silenzio, ognuno assorto nei propri pensieri. Alla fine il direttore comincia a leggere il giornale, come tutte le sere.

« Anna, — dice la signora ad un certo momento — fai vedere a papà il vestito nuovo»; e rivolgendosi al marito: «La sarta l'ha portato da una settimana e tu non l'hai visto ancora ».

Anna guarda i genitori con atteggiamento interrogativo: «Lo devo indossare?!».

« Certo » dice la madre; il padre leva lo sguardo dal giornale ed attende. Dopo pochi minuti spunta Anna con il vestito nuovo, una minigonna come il direttore non aveva mai visto! Il giornale gli cade dalle mani e resta a guardare con gli occhi sbarrati, poi la burrasca: «Svergognata, che cos'è questo? In casa mia! Mia figlia!».

« Ma vedi, caro, Anna è giovane... » interviene la moglie.

« Ma che giovane e giovane! La pudicizia! Il decoro della famiglia!».

Anna resta immobile, pallida, un po' piegata in avanti per fare apparire meno corta la gonna. Il direttore si alza di scatto, esce dalla stanza e sbatte la porta.

La signora scuote il capo: «Non si capisce proprio come sono fatti questi uomini!».

La figlia silenziosamente piange mentre accarezza con mani trementi il gonnellino nuovo.

CACCIATORE DI LEONI

Il signor Stefano è un uomo pacifico, timido e semplice, ma ha una grande passione, quella della caccia. Soltanto quando parla di caccia, di lepri e conigli, si entusiasma, fino ad apparire completamente diverso da quello che tutti conoscono. Ora che ha realizzato il suo grande sogno di uccidere in Africa un leone, si sente felice. Racconta a tutti, con i minimi particolari, la sua grande giornata nella foresta africana, mostrando con orgoglio la pelle del leone, con una testa enorme, che costituisce l'ornamento più prezioso del salotto.

La moglie ed i figli sanno a memoria tutto, per avere sentito raccontare decine di volte: « Partimmo all'alba con una guida e percorremmo molti chilometri prima di arrivare nel posto dove si trovavano i leoni. Ad un segno della guida, vedemmo a distanza il re della foresta! Il cuore mi batteva forte per l'emozione! Poi sparai! Un leone, colpito nel suo regno, nella foresta del centro dell'Africa! Voi abituati ad uccidere conigli, non potete immaginare! Si diventa veri cacciatori in Africa, quando si ha la fortuna di abbattere un leone! Ora lo vedete qui, nel mio salotto, ma... ».

Qualche signora ha i brividi soltanto a guardare la pelle; gli uomini, con un poco di invidia, dicono alle mogli: « Questa è caccia! ».

Ma il racconto non finisce qui... C'è sempre qualcuno dei figli del signor Stefano che interviene: « Papà, il cuore! ».

« Ah!, ecco — continua il cacciatore — mi avevano sempre detto che bisogna mangiare il cuore del leone appena ucciso per acquistare 187 coraggio... L'occasione era unica! La guida con un grosso coltello tolse la pelle ed io cercai il cuore... Lo addentai ancora caldo!».

La moglie del signor Stefano a questo punto del racconto fa sempre una smorfia; le viene la nausea a pensare che suo marito abbia potuto mangiare il cuore crudo di un leone!

I figli sono orgogliosi di avere un padre dal coraggio leonino e raccontano la scena ai compagni di scuola. Ormai tutti sanno che il signor Stefano è stato in Africa, ha ucciso un leone e ne ha mangiato il cuore!

La signora, se entra nel salotto, bada a non calpestare quella pelle. È veramente preziosa, soprattutto se si pensa alle spese sostenute dal marito per andare in Africa! Spesso considera: «Mah! Potevamo comprare una casetta in campagna per la villeggiatura!». Però, se pensa che ha un marito coraggioso, si consola!

Una sera, mentre la famiglia cena tranquilla, si sente nella stanza uno strano rumore. Tutti restano sospesi ad ascoltare, poi si vede un topo che corre in cerca di scampo. La signora emette un grido acuto, tutti balzano sulle sedie! Il signor Stefano, traballando sulla sedia, grida: «Fermi! È un topo! La scopa, la scopa!». Nessuno si muove.

Il topo è passato nel salotto. Il piú piccolo dei figli, passato il primo momento di smarrimento, lo segue: «Si è infilato dentro la bocca aperta del leone!».

«Vigliacco di un topo — grida il signor Stefano — va a rosicchiare il leone!».

Il ragazzo arriva con la scopa, ma il topo è sparito, uscendo dal balcone aperto. La signora è quasi svenuta!

Il signor Stefano scende dalla sedia e si avvicina amorevolmente alla moglie: «Non aver paura, cara, si tratta di un topo! Non siamo in una foresta africana, dove ci sono i leoni! Là sí che c'è da aver paura, perché basta un attimo, un po' di incertezza... Ma qui...».

Dà uno sguardo attorno, rassicura i figli e va a guardare la pelle del «suo» leone: «Vigliacco di un topo! Se torna, gli schiaccio la testa!».

CHE TEMPO FA?

Don Giovannino era conosciuto in tutto il rione della città come « l'uomo del tempo ». Non aveva mai studiato metereologia, ma se si volevano notizie sul tempo, bastava affacciarsi sulla strada e chiedere ad alta voce: « Don Giovannino, che tempo fa? ». Quello compariva al balcone di casa sua e rispondeva con tono solenne: « Oggi tempo sereno », oppure « Scirocco! Giornata calda », oppure ancora: « Non vi fidate, questo pomeriggio pioverà ». E succedeva che spesso la predizione era esatta; nessuno dubitava di ciò che diceva don Giovannino.

Ogni mattina, anche senza essere interpellato, si affacciava al balcone, dava uno sguardo attorno, restava un poco assorto come se ascoltasse una voce segreta, e decretava « bel tempo », oppure « cattivo tempo! ».

Era solito dire che i barometri ed i termometri sono degli strumenti inutili; lui aveva il suo « campanello » misterioso dentro l'orecchio ed era appunto questo campanello che gli indicava le variazioni del tempo. Non sapeva dire altro; aveva una fiducia assoluta nel suo campanello che non sbagliava mai! La stessa fiducia l'avevano tutte le persone che si rivolgevano a lui per sapere ogni mattina se dovevano fare indossare i cappotti ai bambini per andare a scuola, o se dovevano portare il parapioggia per andare a fare la spesa al mercato.

« Oggi cappotto » diceva don Giovannino, oppure « oggi basta il cappello ». Un giorno, però, aveva detto « niente parapioggia », e la gente era stata a guardare il cielo nero che minacciava tempesta, ma 189 era uscita di casa senza parapioggia, perché cosí aveva stabilito don Giovannino. Fu una giornata memorabile! Venne tanta acqua dal cielo che sembrava il giorno del diluvio universale! E chi aveva tenuto conto del suggerimento di don Giovannino, era tornato a casa bagnato come un pulcino! Come mai?

Passata la tempesta, tutti guardavano il balcone dell'« uomo del tempo » e quello non si fece attendere. Era contrariato e, senza che nessuno chiedesse spiegazioni, disse col solito tono solenne: « Effetto della bomba atomica! ».

La voce corse per tutto il rione: « Effetto della bomba atomica; don Giovannino ha ragione! ».

Il povero uomo da qualche tempo cercava di cogliere le minime sfumature del misterioso « campanello » e, scuotendo il capo, ripeteva: « La bomba atomica ha inquinato l'aria! Dove andremo a finire? ».

Fu soltanto una leggera ombra che passò su tutte le persone che stimavano don Giovannino, perché ogni mattina si tornò a chiedere e si ebbe sempre la soddisfazione della risposta esatta: « Che tempo fa? ». — « Oggi tempo sereno » — « Oggi cappotto » — « Oggi vestito estivo ».

« Vestito estivo!? Con quella tramontana!? ». Affacciato al balcone in maniche di camicia « l'uomo del tempo » insisteva: « Oggi vestito estivo! ».

Soffiava un vento gelido che tagliava la faccia, ma don Giovannino aveva ascoltato il « campanello », che gli indicava « tempo bello ». La gente lo guardava incredula e lo stesso don Giovannino aveva qualche brivido di freddo, ma volle dimostrare personalmente che non poteva sbagliare. Indossò una giacchetta leggera ed uscí di casa per una passeggiatina. Nella strada salutava tutti quelli che incontrava, dicendo: « Oggi vestito estivo! ».

Dopo tre giorni, durante i quali il noto balcone era rimasto chiuso, una triste notizia si sparse nel rione: don Giovannino era morto di polmonite!

LA MODA CAMBIA!

Io ho sentito parlare sempre della volubilità della moda dei vestiti, dell'arredamento, della decorazione, ma non credevo che si potesse arrivare a certe esagerazioni. Un dramma in famiglia per la moda!

Come ogni anno, in piena primavera, si comincia a parlare delle vacanze estive: la collina, la montagna o il mare? Noi giovani generalmente preferiamo il mare; mio padre cerca sempre di dimostrare che si riposa veramente soltanto in montagna. Alla fine di molte discussioni si decide per il mare, ma non si tiene conto del problema che angustia mia sorella Teresa. Deve essere un problema serio, perché Teresa in questo periodo ha sempre gli occhi lucidi, si morde le labbra, lancia occhiate di rimprovero a mia madre e si strugge in una pena segreta.

Teresa è bella, alta e robusta, una ragazza fiorente, il ritratto della salute! Forse, piú che robusta, è grassa; e ciò la tormenta, perché lei vorrebbe essere sottile come una canna. Non serve a nulla limitarsi nel mangiare: anche se vive soltanto con un poco di riso ed un sorso d'acqua, lei ingrassa!

Tutto è andato bene fino allo scorso anno.

« Vedi? — le diceva mia madre — sono di gran moda le donne robuste; devi mangiare bistecche ». E lei mangiava, anche se faceva qualche resistenza. Il peso aumentava in modo preoccupante, ma si seguiva la moda! Invece ora? Tutte le riviste femminili sono piene di figure di donne magre e piatte; sono tornate di moda le donne come stecchi, quasi trasparenti! Qualche titolo dei giornali è significativo: 191

« Torna di moda la donna crisi », « Quest'anno nelle spiagge donne sottili come giunchi ».

Teresa esplode: « Al mare, no! Come mi presento io in una spiaggia in costume da bagno? Non volevo mangiare io! Come faccio a dimagrire in poco tempo? ». E piange!

In fondo ha ragione, poverina; una ragazza della sua età non può essere antiquata, deve seguire la moda. Anche mia madre non sa darle torto ed è piena di rimorsi per quelle bistecche che le ha fatto mangiare, preoccupata della sua salute.

Tenta di rimediare dicendo che con un costume da bagno di colore scuro le forme del corpo appaiono più snelle e che intanto si può ricorrere ad un trattamento intenso di massaggi... È la goccia che fa traboccare il vaso! Tra le grida di tutti Teresa quasi sviene, non si capisce più nulla! Si distingue soltanto qualche frase: « questa moda è uno schifo! », « questa è la moda delle donne tubercolotiche! ».

Mio padre è sbalordito, scuote mestamente il capo e conclude che bisogna ascoltare i suoi consigli: è sempre meglio passare l'estate in montagna, dove ci si copre bene, si respira aria pura e si vive a contatto con la natura, che si veste sempre dello stesso verde e non cambia moda ad ogni variare di stagione!

I PESCATORI

È l'alba quando spingono le barche in mare per affrontare la fatica di ogni giorno. Hanno le case quasi sugli scogli e le donne li aiutano negli ultimi preparativi, portando l'acqua e le ceste e ripetendo sempre la stessa raccomandazione: «Tornate presto!». Gli uomini non parlano; con movimenti misurati sistemano le reti dentro gli scafi e guardano il mare. Poi partono; il piú vecchio al timone ed i giovani ai remi, che tagliano l'acqua con ritmo cadenzato. Qualcuno si fa il segno della croce; si spera di tornare con la barca carica di pesci guizzanti dentro le ceste.

I pescatori amano il mare, anche se spesso sono sbattuti con la barca dalle violente sferzate delle onde. Conoscono tutti i suoi segreti e sanno che cosa significhi ogni minimo movimento dell'acqua, ogni lieve variazione di colore della superficie, che si perde lontana fino a confondersi con il cielo.

Parlano del mare come si può parlare della donna amata, di certi misteri del suo carattere, che non ammette eccessive confidenze, della sua generosità o dei suoi tradimenti. Di umore imprevedibile, il mare li aspetta ogni giorno e non si sa mai fino a che punto ci si possa fidare di lui.

Spesso il cielo è nero e pesa sulle teste dei pescatori come severo avvertimento, ma essi partono lo stesso e, piú taciturni che mai, rispondono con cenni agli ultimi saluti delle donne, che restano a lungo ferme sulla riva.

Quando il mare è calmo, dopo qualche ora di attesa le reti vengono tirate piene di sardine, di sgombri, di triglie, di cefali... Si dibattono tra le maglie della rete ed hanno ancora dei sussulti in fondo alla barca. I pescatori allora procedono alla prima selezione, mentre lentamente dirigono la prua verso il piccolo porto, affaticati e soddisfatti. Remano con vigore; portano a terra il dono del mare.

Ma quando il mare è agitato e la barca segue il movimento delle onde come un guscio di noce, le reti quasi vuote vengono raccolte sotto la minaccia della tempesta ed il ritorno a terra avviene tra mille difficoltà. È il momento drammatico della vita dei pescatori, che qualche volta sono sopraffatti dalla furia scatenata del mare e sono travolti. Allora sulla riva l'attesa delle donne è lunga e triste, qualche volta anche vana.

I pescatori non si arrendono mai. Anche con il tempo incerto vanno con le barche e le reti al quotidiano appuntamento, perché amano il mare.

C'è un segreto legame tra i pescatori ed il mare, tra uomini che non temono i pericoli ed una distesa enorme d'acqua che incanta ed attrae, ma che reclama di tanto in tanto la sua vittima innocente.

IL GALLO OFFESO

Tra le galline ci fu un gran fermento quella mattina: il gallo non aveva cantato e tutte si erano svegliate senza il consueto chicchirichí! C'era aria di malumore nel pollaio ed il gallo andava avanti e indietro con la testa alta, ma senza guardare nessuno. Si capiva benissimo che era offeso.

Qualche gallina disse che il gallo stava male, perché era la prima volta che non cantava da quando stava nel pollaio, ma non avevano il coraggio di chiedergli spiegazioni. I galli sono orgogliosi, si sa, e non ammettono eccessive confidenze, quindi le galline lo guardavano preoccupate. Certamente qualcosa di grave era successo.

Fu la gallina piú anziana che ad un certo momento gli si avvicinò: « Si può sapere che cosa hai? — gli disse — Questa mattina non hai fatto chicchirichí! Stai male? ».

« Mi sento benissimo » rispose seccato il gallo.

« E allora, come mai non hai cantato? Per noi è stata una sorpresa, una spiacevole sorpresa. Forse, senza volere, qualche gallina ti ha offeso? ».

« Nessuna di voi mi ha fatto del male, nessuna mi ha mancato di rispetto. Ci sono altri motivi piú seri... Io non canterò piú in questo pollaio! ».

Dalla voce si sentiva che aveva un gran peso nel cuore e la gallina voleva consolarlo, mentre tutte le altre stavano a guardare in assoluto silenzio.

195

« Si può sapere quali sono questi motivi? — riprese la gallina — Noi, se possiamo, siamo tutte pronte ad aiutarti ».

Il gallo la fissò, poi girò attorno lo sguardo quasi per attirare l'attenzione di tutte le altre e con voce di pianto disse: « Io credevo di essere il re del pollaio, di essere apprezzato e stimato dal vecchio padrone e da tutte le persone del vicinato, che ogni mattina mi preoccupavo di svegliare col mio robusto chicchirichí. Credevo che tutti mi fossero grati e riconoscenti per questo servizio... e invece!... ».

« E invece? ».

« Invece, se lo vuoi proprio sapere, ieri sera il vecchio padrone si è affacciato qui, allo steccato... mi ha guardato a lungo e poi, parlando con la moglie, ha detto: "ancora è magrolino, lasciamolo cantare; quando sarà un poco piú grasso, gli tireremo il collo!" ».

Povero gallo! Tra la costernazione di tutte le galline, avvilito ed offeso, riprese ad andare avanti ed indietro con lo sguardo perduto nel vuoto, considerando con amarezza le contraddizioni della vita umana.

IL NATALE DI PIERINO

Il Natale è una grande festa, soprattutto per noi bambini che riceviamo tanti regali. Però bisogna essere « bambini buoni »!

Già da un mese la mamma mi ripeteva: «Se non stai buono, il Bambino Gesú ti porterà carbone». Ed io cercavo in tutti i modi di stare buono, ma se toccavo le belle palline colorate e le candeline mentre si preparava l'albero, mia madre urlava e mi batteva forte sulle mani. Che bruciore! «Se continui cosí, non avrai nulla il giorno di Natale!; Noi facciamo tutto per te, anche l'albero, e tu non stai mai fermo!».

Come fu lunga l'attesa di quel giorno! Ma finalmente anche il giorno di Natale arrivò! E fu un giorno di grande agitazione.

Generalmente io mi alzo alle otto, ma quella mattina alle sette in punto mia madre mi svegliò gridando: «Alzati, Pierino, perché oggi abbiamo tante cose da fare e la cameriera deve mettere in ordine la stanza; abbiamo invitati a pranzo e deve aiutarmi in cucina!».

Avevo appena aperto gli occhi e stavo dicendo «ma oggi è Natale!»; mi tirarono giú dal letto senza neanche farmi parlare! Mia madre era risoluta: «Proprio perché è Natale non possiamo perdere tempo!».

Da tanti giorni si discuteva sull'invito del direttore dell'ufficio di mio padre e su ciò che bisognava preparare e come si dovevano disporre i posti a tavola. Meno male che sotto l'albero trovai i pattini ed il pallone! Avevo avuto una gran paura di trovare il carbone, perché il giorno precedente avevo rotto un piatto di porcellana! Forse il Bambino Gesú non l'aveva saputo! Una fortuna!

197

Nel grande cortile interno della casa tutti i bambini giocavano allegri con i giocattoli nuovi; mi chiamavano per giocare con loro. Io volevo mostrare i bei pattini. « Mamma, scendo un poco nel cortile? ». « Stai fermo lí, — gridò mia madre — devi aiutare pure tu! Non vedi che la cameriera sta pulendo la casa ed io sono sola in cucina? Vai dalla signora del secondo piano a chiedere una cipolla; mi manca la cipolla! ».

Tutta colpa del direttore di mio padre, con quella moglie antipatica che mi dice sempre: « Ma tu, Pierino, non cresci mai? ». Andai a cercare la cipolla! Nelle scale si sentivano le grida dei miei amici, che si divertivano nel cortile!

Anche mio padre girava per la casa agitato, come quando preparava le valigie per partire! Parlava ad alta voce, da una stanza all'altra, con mia madre: « Saremo in dieci e questa tavola è piccola! Lo dico sempre che bisogna cambiarla! ».

Immaginavo che, portata la cipolla, potessi andare a giocare, ma dovetti restare lí con i pattini in mano, perché mia madre disse: « Stai fermo, forse ho ancora bisogno di te; e mi raccomando, non usare i pattini in casa, abbiamo passato la cera sui pavimenti! ».

Passavano le ore! Bussarono alla porta; era la signora Ida, quella che abita accanto a noi e mi dà sempre le caramelle. « Buon giorno, signora, buon Natale, tanti auguri; questa è per Pierino ». Mi diede una grande scatola legata col nastro rosa; certamente caramelle o cioccolatini! Si scambiarono ancora gli auguri e, quando la signora Ida se ne andò, mia madre mi strappò di mano la scatola: « A quest'ora niente cioccolatini, altrimenti poi non mangi a tavola! ». Rivolgendosi a mio padre: « Sempre gentile la signora Ida; questi sono cioccolatini buoni, li offriremo agli ospiti ». I miei cioccolatini agli ospiti!

Dalla cucina intanto venivano dei buoni odori ed era già pronta la torta con la crema. Allungando una mano tentai di prenderne un poco con il dito e fu il momento in cui mia madre mi spinse con rabbia lungo il corridoio fino alla porta, gridando: « Levati dai piedi, vai a giocare in cortile! ».

Feci appena in tempo per prendere i pattini e corsi giú, ma non trovai nessuno, perché era già tardi e tutti i miei compagni erano rientrati nelle loro case.

Il vecchio portinaio gridava pure lui contro quei ragazzi che disturbavano gli inquilini del palazzo; mi degnò appena di uno sguardo e concluse: « Ci mancavano anche i pattini! Rovinerete tutto il cortile! ».

Quando ritornai su, erano arrivati i primi invitati e si aspettava il direttore con la moglie. Mia madre sorrideva a tutti e mi presentò dicendo: « È un monello, non è mai in ordine, neanche il giorno di Natale! ». Aveva trovato che la camicia mi usciva dai calzoncini e che ero spettinato! Però sorrideva! Ma quando si affacciava in cucina, cambiava faccia e alla povera cameriera, che si lamentava per i reumatismi, diceva con voce irosa: « Bada ai fornelli piuttosto, non è questo il momento di avere i reumatismi! ».

Poi tornava in salotto e continuava a sorridere: « Il Natale è sempre una bella festa, festa di famiglia, la piú bella festa dell'anno ».

Finalmente arrivò il direttore, ma io non lo vidi, perché mia madre mi chiuse in cucina con la cameriera e mi disse di non muovermi: « Tu oggi mangi qui con lei, perché in queste occasioni i bambini non mangiano con i grandi. Se ti vedo in giro per la casa, ti strozzo! ».

Poche parole, ma chiare!

Dalla sala da pranzo si sentiva parlare animatamente; di tanto in tanto suonava un campanello e la cameriera andava e veniva con i piatti.

In un angolo del tavolo in cucina aveva preparato anche per me. Aveva un bel grembiule bianco e sembrava vestita a festa, come se in casa ci fosse un battesimo. Io mangiavo in silenzio e lei, ogni volta che tornava dalla sala da pranzo, si premeva con la mano la schiena e sospirava: « Ahi! Ahi! Queste feste non dovrebbero arrivare mai! ».

SIAMO TUTTI TURISTI!

Una volta erano pochi quelli che potevano concedersi il lusso di una villeggiatura e quindi erano moltissimi quelli che, d'estate, con le borse piene di costumi da bagno, di asciugamani e di panini imbottiti, raggiungevano in tram lo stabilimento balneare alle porte della città. Oggi è un'altra cosa! Bisogna viaggiare, bisogna conoscere il mondo!

Si parte quasi sempre per zone remote, isolati o a gruppi, carichi di macchine fotografiche e di cineprese, con programmi complicati per vedere moltissimo nel tempo più breve, con la preoccupazione di scrivere centinaia di cartoline illustrate per fare sapere ad amici e conoscenti che si è arrivati nella lontana città, di cui si era parlato durante l'inverno.

Si ritorna con gli occhi pieni di tante meraviglie e si organizzano delle serate per vedere le diapositive a colori di paesaggi esotici, di mari dai colori incredibili, di monumenti famosi. Le descrizioni degli usi e dei costumi di paesi lontanissimi sono sempre minuziose, vive e colorite!

Il signor Giulio partecipa spesso, con tutta la famiglia, a queste interessanti riunioni ed ogni volta deve subire la mortificazione del rimprovero della moglie, che ha fatto soltanto qualche viaggetto, ma non è stata mai all'estero. Il signor Giulio, secondo la moglie, è testardo e non si rende conto che per i figli è una necessità viaggiare... Oltre tutto, la figlia dei vicini di casa in uno di questi viaggi turistici ha trovato anche marito!

200   La signora vorrebbe invitare anche lei gli amici per mostrare le dia-

positive dell'ultimo viaggio, ma dovrebbe trattarsi di un vero viaggio turistico in qualche paese lontano, da far morire d'invidia le amiche che parlano sempre dell'Olanda, della Svizzera, della Spagna, perfino dell'America!

Lei si vergogna di mostrare sempre le stesse fotografie fatte a Roma o a Venezia, in piazza San Marco, con i colombi che le beccano il granoturco nelle mani! Ma suo marito ripete sempre lo stesso discorso: « A parte il fatto che per viaggiare all'estero è necessario poter disporre di molti soldi, è meglio conoscere prima le città vicine, le città che gli stranieri vengono a visitare da ogni parte del mondo! Se vai in Francia e ti chiedono qualche notizia su Firenze, che non conosci, che figura ci fai? ».

« Sempre Firenze! Ci siamo passati tante volte in treno! Questo è turismo casalingo, non è il vero turismo... Ed oggi tutti sono turisti!».

Il signor Giulio è irremovibile: « Prima Firenze, poi la Svizzera... se ci sono i soldi!».

La signora si difende come può con le amiche e, quando parla di Venezia, dice sempre: « Ma tu l'hai visitata bene Venezia? Hai visto quella colonnina nella piccola strada vicino a Ponte Rialto, proprio sulla destra, dove c'è un negozio di merletti? ».

L'amica cerca di ricordare, ma quella colonnina non l'ha vista! Allora la signora aggiunge, con aria indifferente: « Noi, le città, le visitiamo con molta cura!». È il momento in cui, soddisfatta, pensa: « Ti faccio vedere io! Credi forse che soltanto voi siete turisti?! ».

SEMPRE LA STESSA
FRITTATA!

La signora Marisa è una giocatrice accanita di bridge ed organizza ogni giorno le sue lunghe partite a carte d'accordo con altre tre signore che hanno la stessa passione. Prima si limitavano a giocare di pomeriggio, ma da qualche tempo si incontrano anche di mattina, alle dieci in punto, per una partitina fino all'ora di colazione. « È solo per passare il tempo », dicono, ma naturalmente la posta del gioco è alta, perché altrimenti la partita non avrebbe nessun interesse.

La signora Marisa è abilissima e, se perde molto, è soltanto perché quelle maledette carte sono dispettose e lei è per natura sfortunata! Suo marito, impiegato comunale, non è dello stesso parere; dice sempre che le carte da gioco sono una maledizione e si è decisamente rifiutato di imparare a giocare a bridge.

« Vedi, Pietro, — gli dice spesso la moglie — se tu imparassi, potremmo giocare in coppia e tu ti annoieresti meno nelle ore in cui non vai a lavorare al municipio. Che cosa vai a fare ogni pomeriggio al circolo? ».

Sí, è vero, il signor Pietro non dovrebbe andare ogni giorno al circolo! Là quasi tutti giocano a carte, qualcuno legge il giornale e generalmente si scambiano quattro chiacchiere; ma sono sempre gli stessi discorsi! Si parla di politica, dei fatti del giorno e poi si finisce sempre con il solito argomento: i buoni piatti, le pietanze che fanno venire l'acquolina in bocca, gli stufati ed i fritti misti, le lasagne al forno e i tortellini... Il signor Pietro ascolta e tace, inghiotte la saliva e di tanto in tanto si lecca le labbra; per lui a casa c'è sempre la solita minestra, sempre la stessa frittata!

« Oggi mia moglie ha preparato un risotto... — dice uno — ma che risotto! » — « Io ho mangiato delle triglie di scoglio alla griglia, che avevano il profumo del mare! » — aggiunge un altro. « Mia moglie è un'artista in cucina; in certe pietanze ci mette uno spicchio d'aglio o un poco di prezzemolo... ».

Il signor Pietro non resiste piú; si alza, passeggia un poco e poi si avvia verso casa: è quasi l'ora della cena. « Le triglie alla griglia!... Lo spicchio d'aglio!... Le lasagne al forno!... ».

A casa trova la moglie davanti alla porta; rientra dopo aver giocato a bridge tutto il pomeriggio. « Ecco, Pietro, sono quasi pronta per la cena. Ti preparo una bella frittata, in cinque minuti ci mettiamo a tavola; un bel contorno di insalata fresca e, se hai molto appetito, dei fagioli in scatola o, se preferisci, qualche formaggino ».

Il signor Pietro non parla! Si prepara ad ascoltare il discorso di tutte le sere: « I medici lo dicono sempre, ad una certa età bisogna mangiare poco, insalate e frutta fresca. Modestia a parte, è difficile trovare una donna che faccia le frittate come le faccio io; perché, vedi, c'è tutta un'arte particolare per preparare la frittata, anche se molti pensano che sia facile! ».

Cala il silenzio sulla tavola, dove l'unica nota allegra è quel colore del bicchiere pieno di vino, che il signor Pietro produce con l'uva della sua campagna.

« Tu sei stanco, Pietro; lavori molto al municipio, ma sei testardo! Se imparassi a giocare a bridge, potresti distrarti ogni giorno alla fine del lavoro! ».

Il « Nooo!! » del signor Pietro è come uno scoppio improvviso e violento. La frittata va a stamparsi su una parete, come una macchia di un quadro di un pittore informale! « No!! No!! ». E non dice altro.

La signora Marisa non ha mai sentito gridare in quel modo il marito; resta a guardarlo smarrita, pensando: « Dio mio, Pietro è impazzito! ».

AGOSTINO

Agostino è il figlio del portinaio; non ha ancora dieci anni, ma dalla mattina alla sera è sempre in movimento, perché tutti gli inquilini del palazzo lo chiamano per qualche piccolo servizio. Ed Agostino corre: compra il giornale per la vecchia signora del primo piano, le sigarette per la signora che vive sola all'ultimo piano, le cipolle e le patate per quella cameriera che dimentica sempre qualcosa quando va a fare la spesa...

Non lo lasciano mai in pace; attendono il momento in cui ritorna dalla scuola per chiamarlo e raccomandargli di fare presto e di non stare a parlare con i ragazzi della strada!

Tra tutti, Agostino non può sopportare il vecchio del pianterreno, quel brutto vecchio col naso lungo e le mani magrissime: « Questi sono i soldi, devi portare il resto, stai attento e non dimenticare: fiammiferi e bicarbonato! ». Quando torna, gli agita davanti agli occhi le dita lunghe ed affusolate e, quasi sempre, fa lo stesso discorso: « Hai sbagliato di nuovo! Non è questa la marca del bicarbonato! La scrivo in un pezzo di carta e corri a cambiarlo! ».

Ed Agostino corre, ma il vecchio non è mai contento! E come conta i soldi del resto! Il ragazzo segue con gli occhi spalancati l'operazione; in quelle mani le monete sembrano piccolissime! « Devo controllare bene, perché a voi ragazzini danno i soldi falsi! Va bene, il resto è esatto, puoi andare! Che cosa aspetti? ».

Già! Che cosa aspetta Agostino? Non lo sa neanche lui; ma resta lí come incantato! Allora il vecchio aggiunge: « Tu lo sai che non ti do mai dei soldini, per una questione di principio; il denaro porta all'inferno! E poi ti abitui male! Ai miei tempi i genitori non davano mai soldi ai ragazzi e certamente si viveva meglio... ». Intanto spinge il ragazzo sul pianerottolo per chiudere la porta. Agostino si gratta la testa e con la bocca aperta pensa che quel vecchio andrà sicuramente all'inferno, perché ha tanti soldi!

Nella strada i ragazzi giocano con una palla; Agostino si avvicina, ma dall'ultimo piano arriva la voce di quella delle sigarette! La sente già dal fondo delle scale: « Fai presto, tutta la mattinata sei a scuola ed io non trovo mai nessuno... ».

In un biglietto c'è scritta la marca delle sigarette, i soldi sono contati, quindi non c'è resto. Ed Agostino corre, mentre la voce della signora lo segue nelle scale: « Morbide, ricorda, sigarette morbide! ».

Quando passa davanti al portone, trova suo padre che gli ripete con tono severo: « Devi fare i compiti per domani, fai presto! ».

« Finalmente queste sigarette » — dice la signora all'arrivo di Agostino — « Bravo, sei un bravo ragazzo, poi ti farò un bel regalo ».

Ed Agostino corre giú per le scale; deve imparare a memoria una poesia per l'indomani. La imparerà in pochi minuti, perché è una bella poesia; parla di un bambino che dorme, mentre la madre lavora accanto alla culla... Dalla finestra aperta arriva nella stanza il profumo dei fiori ed il cinguettio degli uccellini...

Seduto sul primo gradino delle scale, con il libro aperto sulle ginocchia, Agostino sogna giardini fioriti, bambini felici e nuvole bianche...

DONNE A CONGRESSO

Sembrava impossibile una volta arrivare alla completa liberazione della donna dal complesso di inferiorità nei riguardi dell'uomo, ma ormai, col pieno riconoscimento di tutti i suoi diritti, la donna ha conquistato il suo posto nella società accanto all'uomo, in posizione di assoluta parità.

Tutte le carriere, una volta riservate soltanto agli uomini, oggi sono aperte anche alle donne; cosí abbiamo donne nel Parlamento, donne nella magistratura, donne nella diplomazia, donne in tutte le amministrazioni, donne dovunque.

In ogni famiglia è stato raggiunto un tacito accordo e a poco a poco, quelle che prima erano le caratteristiche funzioni della donna, sono state in un primo momento suddivise con l'uomo, poi in molti casi sono passate decisamente tutte all'uomo. Se la donna lavora come e quanto l'uomo, chi deve pulire la casa, preparare i pasti, curare i bambini? Certamente l'uomo e la donna. E se la donna lavora piú dell'uomo, come avviene in molti casi? Quei lavori li farà l'uomo!

Capita spesso di sentire al mercato un dialogo di questo genere:

— « Tu che cosa compri oggi? Io cerco zucchini ».

— « Io devo comprare soltanto patate ed insalata, le uova le ho a casa. Io non so cucinare, quindi patate fritte ed insalata! ».

— « Mia moglie questa mattina, prima di andare all'ufficio, mi ha rac-
comandato di farle trovare gli zucchini ripieni! È un lavoro che non
finisce mai: preparare la cipolla, il tritato... ».

— « Io ho dovuto pulire il bambino prima di venire al mercato; questo bambino è... Si sporca soltanto di mattina, quando io sono a
casa, perché lavoro di pomeriggio! Oggi dovremo lasciarlo alla vicina
di casa, perché mia moglie ha una riunione sindacale... Non so,
un congresso! ».

— Anche mia moglie va al congresso. Mi dice sempre che è finita l'epoca
della schiavitú! Io non so dove vogliono arrivare queste donne!...
Intanto devo trovare gli zucchini...

Infatti c'è un congresso nazionale, convocato per rivendicare la
completa libertà della donna: « Pari doveri, pari diritti! ».

Il salone del congresso è pieno fino all'inverosimile di donne che si
agitano e gridano; hanno visto che ci sono nel salone dei giornalisti e
dei fotografi. Sono uomini! « Fuori i fotografi! Fuori i giornalisti! ».
La calma ritorna soltanto quando non esiste nessun uomo dentro il
salone.

Calma!? Non si capisce nulla! In prima fila c'è una donna incinta
che agita le braccia per farsi ascoltare, ma la confusione è grande e
nessuno le bada. Poveretta, ha le guance rosse come un gambero!

Finalmente si discute! I vari problemi vengono esaminati con rela-
zioni seguite da discussioni vivaci e tutte sono d'accordo che ancora
manca qualcosa per considerare completa la realizzazione di tutte le
rivendicazioni... Hanno ottenuto la parità giuridica, il trattamento eco-
nomico equiparato a quello degli uomini, quando esplicano le stesse funzioni, però... Dal fondo del salone qualcuna agita la borsetta, poi ciascuna parla all'orecchio della vicina, fino a quando si sente una voce
squillante: « Il problema dei figli! ». Già, il problema dei figli!

La donna incinta della prima fila si alza e va al microfono: « Era
questo che volevo dire io! È ora di finirla! » e batte il pugno sul tavolo.
« I figli, chi li fa? Dobbiamo farli sempre noi donne? Bisogna chiedere... ».
Non può continuare a parlare, perché la sua voce è sopraffatta dalle
urla di tutte!

Dopo un poco si può riprendere la discussione: « È troppo comodo
per gli uomini! I figli bisogna farli a turno; una volta la donna, la   207

volta successiva l'uomo! Fino a quando non si risolve questo problema, ci sarà sempre una differenza tra uomo e donna e noi non siamo disposte a subire nessuna sopraffazione! ».

Quando ritorna un po' di calma, si stabilisce che l'argomento sarà ripreso alla prossima riunione, perché si tratta di un problema di eccezionale importanza. Tutte sono d'accordo: « Ci vuole una legge! ».

Mentre escono dal salone, la donna incinta grida ancora: « Questo è il settimo figlio ed io mi sento già vecchia, a trentasette anni! Mio marito sembra ancora un giovanotto! A turno bisogna farli; uno io, uno lui! ».

Una donna che non ha avuto figli le dà ragione ed approva senza riserve: « È giusto! Anche l'uomo! ». Tornando a casa, lungo la strada pensa che, con il nuovo sistema, forse anche lei potrebbe avere un erede!

LA GITA IN BARCA

Oggi non si può piú passare l'estate in una spiaggia affollatissima; per chi ama il mare, non resta che la « barca »!

In tutti i salotti si parla di « barche » e qualche ingenuo pensa che si tratti delle solite barchette a remi, con le quali si va a pescare lungo la costa o ci si diverte vicino alla spiaggia durante la stagione balneare. Poi si scopre che la « barca » è un battello con motore e cuccette, che può fare lunghi viaggi in mare aperto! Si dice « barca » per modestia! Cosí nasce il problema di come si deve dire quando ci si vuole riferire ad una vera e propria barca!

Il signor Gino è riuscito a convincere due coppie di amici a passare un mese intero viaggiando lungo la costa con la sua « barca », che dispone di sei cuccette e di un marinaio di piena fiducia.

Si fanno programmi ben definiti, si prepara tutta l'attrezzatura per il mare, si rinnovano costumi da bagno e vestiti da spiaggia, pantaloncini bianchi, magliette colorate, cappelli di paglia, zoccoli e canne da pesca... Fervore di preparativi e continue telefonate fino a quando arriva il giorno della partenza.

Ma quante valigie e quante borse! I mariti brontolano, le signore non ammettono discussioni: devono cambiare costumi e vestiti quasi ogni giorno, per un mese intero!

Sono già sul battello, che dondola splendido e luccicante sull'acqua. Si completano le ultime operazioni e finalmente si parte!

Sorrisi e complimenti per Gino e Luciana, che fanno gli onori di   209 casa: «Prego, state comodi; qui per prendere il sole, qui per il tè e per qualche partitina a carte». Tutti si muovono nello spazio limitato, dicendo sempre: «Scusa... prego», mentre la riva si allontana, fino ad apparire come una lunga striscia nera sul mare azzurro. I gabbiani volteggiano sul battello, quasi a sfiorarlo. C'è anche il giradischi e la voce della cantante è accompagnata dal ritmo dell'acqua, che sbatte sulla chiglia dello scafo. Sono tutti felici!

Si fa il primo bagno: tra un tuffo e l'altro si grida e si ride, come fanno i ragazzi il primo giorno di vacanza dopo un anno di scuola! Poi si prende il sole, mentre Gino studia la rotta con il marinaio.

Quando viene la sera, la brezza li costringe a restare riuniti nel piccolo ambiente dove si mangia. Si sta bene, ma quanto è stretto! Gino dice che bisogna sistemare meglio le valigie, perché ingombrano i passaggi: «Vi chiedo scusa, ma... fate voi; io ed il marinaio dobbiamo badare alla barca!».

Dopo due giorni qualcuno è nervoso. Gino si sfoga a bassa voce con la moglie: «Con tutte quelle valigie si va in albergo, non in una barca! E poi c'è pure quella che non mangia perché nei cibi c'è la cipolla! Dobbiamo preparare i piatti speciali per lei?!».

La notte non tutti possono riposare bene: c'è il rumore dell'acqua che sbatte nelle pareti e Mario russa come un trombone!

La mattina il movimento comincia all'alba. Gino ed il marinaio tirano su la vela per sfruttare il vento. Carmelina è pallidissima; soffre il mare! Il marito l'aiuta a sdraiarsi e la consola, mentre Gino con voce dura grida: «Non qui, non vedete che non possiamo passare?!».

Dopo il bagno altre grida: «Non mettete gli asciugamani bagnati sui cuscini! Ma si può essere così stupidi?!».

Il mare è calmo, ma al quarto giorno tra gli amici c'è aria di burrasca: ci si urta nel breve spazio e non si dice più «scusa», «prego!». Rosa si spalma continuamente varie creme sulle braccia e sulle gambe; al marito che, premuroso, l'aiuta a spalmare la crema nella schiena, grida inviperita: «Piano, sciocco; non vedi che ho preso una scottatura?!».

Luciana cerca di essere ancora gentile con tutti, ma si ha l'impressione che la «barca» sia diventata stretta e piccola come un guscio di noce! Ognuno guarda gli altri come intrusi che da un momento all'altro calpesteranno il proprio corpo; ognuno vede nel vicino un nemico. Tutti tacciono e guardano con rancore il mare.

Ancora un disco! La voce della cantante rompe il silenzio e Mario mormora tra i denti: « Sempre la stessa canzone! ».

Il viaggio doveva durare un mese! Al quinto giorno Gino dice al marinaio, in modo che tutti possano sentire: « Si torna a casa! La radio ha preannunciato mare mosso in questa zona ».

Si inverte la rotta nel silenzio piú assoluto. Qualcuno legge un libro e, quando può, dice piano al coniuge: « Te lo dicevo io? », « la colpa è tua! », « mai piú, mai piú! ».

Quando si arriva al molo e si sbarca, ognuno raccoglie la propria roba e l'ultimo saluto è freddo, come tra persone che per caso si incontrano nell'anticamera di un gabinetto dentistico.

Luciana è avvilita e mortificata; Gino guarda il mare e parla da solo: « Mi hanno rovinato la vacanza! Con tutte quelle valigie e con i capricci per il vitto! Mai piú nella mia barca questa gente impossibile! ».

PAESAGGIO

Visto di mattina, quando il sole indora le colline ed il cielo è azzurro come gli occhi di un bambino biondo, questo paesaggio è delizioso. Dà un senso di serena distensione e rende felici; pare che anche noi ci solleviamo in una sfera di beatitudine e ci distacchiamo dal mondo che ci circonda, come in un sogno.

Le valli si susseguono, fiancheggiate da colline, fino a perdersi nello sfondo in una sfumatura di colori, che vanno dall'intenso marrone della terra lavorata di fresco alle varie gradazioni del verde degli alberi.

Arriva smorzato il rumore di una cascata che non si vede, ma che non deve essere molto lontana; se ne sente quasi la frescura, anche quando il sole è alto e le cicale, come impazzite, dominano dappertutto con il loro canto.

I contadini, con grandi cappelli di paglia, a gruppi o isolati lavorano nei campi: lí c'è un trattore che segue una linea diritta nel terreno e ne rende scura una parte, come se vi spargesse un denso colore marrone; piú vicino a noi, un uomo falcia l'erba e lascia dietro di sé i mannelli che raccoglierà alla fine del suo lavoro. Una capra lo segue.

Case sparse ovunque: da quella rossa sulla cresta di una collina a quelle bianche della valle; tutte con un grande albero vicino, che le protegge dai forti calori estivi, e con il rampicante che arriva fino al tetto. Vicino a noi c'è una casa rustica di contadini, quasi completamente coperta dall'edera; le galline razzolano davanti alla casa. Una donna robusta stende i panni al sole.

212

Quando il sole tramonta, il cielo si tinge di rosso e violetto e dal comignolo di ogni casa si leva bianco il fumo di tutti i focolari. È come un segnale che si comunica rapidamente per tutta la campagna e ognuno ritorna alla propria casa al suono cadenzato dei campani delle mucche. Al canto delle cicale si sostituisce il cri-crì dei grilli ed il gracidare delle rane.

Là donna della casa vicina, seduta su una pietra accanto alla porta, allatta un bambino paffuto e canticchia una vecchia cantilena.

Pare di sognare davanti ad uno spettacolo simile! Sembra uno spettacolo di altri tempi, non sembra vero! Noi generalmente pensiamo che la campagna dei nostri nonni ci abbia traditi, che si sia perduta per sempre... Invece siamo noi, prigionieri del cemento e dell'asfalto, che l'abbiamo dimenticata ed abbandonata!

La campagna è sempre là, con le sue albe limpide, le sue giornate serene, i suoi tramonti di fuoco; cantano ancora gli uccelli, le cicale ed i grilli; l'edera copre le case... Ci sono ancora donne che allattano i figli, sedute davanti alla porta della propria casa, mentre il comignolo fuma ed il sole cala lentamente dietro la montagna lontana.

INDICE ALFABETICO DELLE NOMENCLATURE

(i numeri si riferiscono alle pagine)

215

INDICE

VITA DI FAMIGLIA

PICCOLA CITTÀ

CHE VITA!

Finito di stampare
nella Tipo-lito SAGRAF - Napoli
nel mese di novembre 1990